JN014805

ウクライナ侵攻までの300日

モスクワ特派員が見たロシア

毎日新聞モスクワ支局長
大前 仁
Omae Hitoshi

毎日新聞出版

ウクライナ侵攻までの3000日

――モスクワ特派員が見たロシア

目次

ウクライナ地図

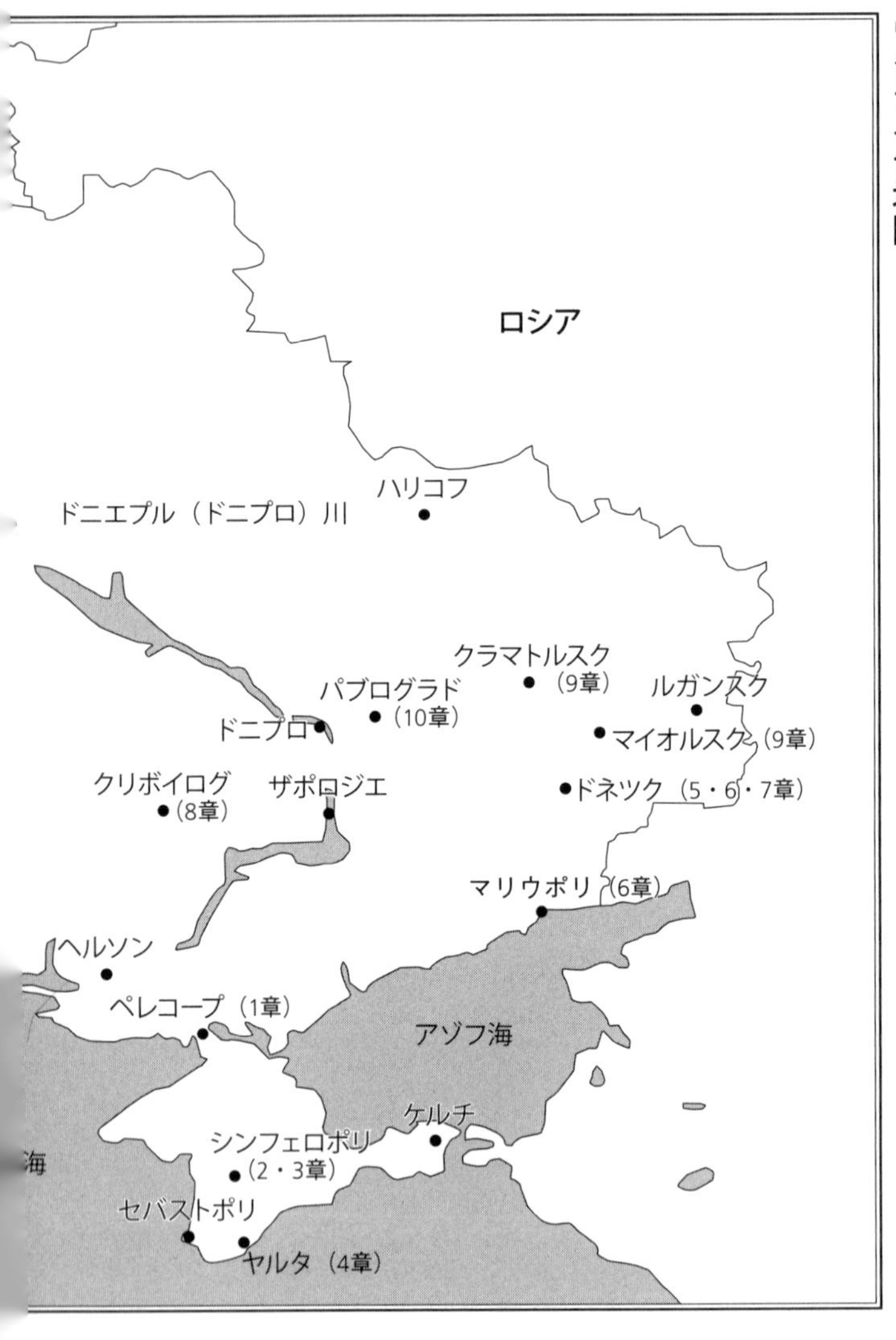
ロシア
ハリコフ
ドニエプル（ドニプロ）川
クラマトルスク
（9章）
パブログラド
（10章）
ルガンスク
ドニプロ
マイオルスク（9章）
クリボイログ
（8章）
ザポロジエ
ドネツク（5・6・7章）
マリウポリ（6章）
ヘルソン
ペレコープ（1章）
アゾフ海
ケルチ
シンフェロポリ
（2・3章）
海
セバストポリ
ヤルタ（4章）

ポーランド
チェルノブイリ
ラーチン（11章）
キーウ（8
リビウ（7章）
ウクライ
モルドバ
キシナウ
オ
ルーマニア

装丁・本文デザイン／宮川和夫
組版／キャップス
目次写真／Pakhnyushchy
本文写真／大前仁

ウクライナ侵攻までの3000日

——モスクワ特派員が見たロシア

9年に及ぶ戦争と、取材の過程で亡くなった人々の冥福を祈って

マイオルスク村に建つレンガ造りの家屋の屋根は砲弾で破損していた

序章

なぜロシアを批判しないのか

最前線の村を訪れて

２０１９年7月半ばのウクライナ東部の空には雲一つかかっていなかった。この時期の日本のように蒸し暑くはない。

ドネツク州にあるマイオルスク村は、臨時の州都が置かれたクラマトルスクから南東の方角へ車で1時間と少しの距離にある。耳を澄ませば鳥のさえずりも聞こえてきそうで、のどかな光景が目の間に広がっている。

だが、この村はウクライナ軍がロシアの後ろ盾を得た武装勢力と対峙(たいじ)する最前線に置かれている。

ウクライナ軍の許可を得て、村内を歩くと、痛々しい傷痕が目に入ってきた。レンガ造りの家屋の屋根と壁は砲弾に直撃されて、大きく破損していた。半分以上の窓ガラスが割れて、ビニールで塞がれている。立派な作りの建物なのに、住人が去ってから久しいことが伝わってくる。

この建物を通り過ぎた後のことだ。

私はアパートの前に据えられたベンチに腰を下ろし、世間話に興じていた3人の女性と出会った。話を聞くと、全員が60代だという。旧ソ連の国では珍しくないことだが、彼女たちは総じておしゃべりであり、警戒心が弱かった。

これもよく起きることなのだが、1人の女性と話をしていても、他の女性が割り込んでくる。だから、ノートを取っていたり、録音していたりしても、途中から誰が話しているのか分かりづらくなってしまう。それでも、まとめてみると、3人の女性は次のような状況を打ち明けてきた。

「生活の状況は酷くなる一方なの」

「冬を迎えると、集中暖房が全くつかなくなるの。零下12度とか13度まで落ち込んで、凍える思いをしているのよ」

「水道の水も出たり、出なかったりの繰り返しだわ」

「毎日、砲撃による爆発が聞こえてくるから、とても怖いのです」

「近所の人たちは別のところへと避難してしまった。それでも我々のような年金生活者はお金も持っていないから、どこにも逃げようがないのよ」

話を聞いているだけで、同情してしまうし、この場にいる私も砲撃に巻き込まれるかもしれないという恐怖心に駆られてしまう。

ロシアが2014年3月にウクライナ南部のクリミア半島を一方的に併合してから5年。その翌月から、東部ドネツク州とルガンスク州で武装勢力を正面に立てながら軍事介入してからも、同じくらいの月日が過ぎていた。私がマイオルスク村を訪れた2019年7月には、すでに国際社会がウクライナで続く戦争への関心を半ば失っていた。

それでも最前線に置かれた村の人たちは、日々、爆発音に身を震わせていた。家屋はボロボロになり、一年の半分くらいは凍えるような生活を送っている。

ウクライナ東部で戦争が現在進行形で続いていることを痛感させられた。それでもこの村は「幸運にも」ウクライナ軍が維持する地域にとどまっていた。そのように私は思っていた。

砲弾を浴びせられながら

ところが、この女性たちと会話を続けていくうちに、奇妙なことに気がついた。

彼女たちは頻繁にウクライナの政府や政治家をけなしたり、批判したりしている。女性の1人のアパートにあげてもらい、大きく破損した内部を見せてもらったときのことだ。テレビをつけると、2016年まで首相を務めたアルセニー・ヤツェニュクが映し出された。

「久しぶりにこいつをみたよ」

この部屋の持ち主の女性は罵倒(ばとう)に近い思いを吐き出していた。

ウクライナは1991年のソ連崩壊を前に、独立を果たした。そして一部の例外を除けば、5年に一度の大統領選挙で政権交代を繰り返しながらも、新興財閥の利益を代表するような政治家たちがまつりごとを担ってきた。そのため汚職を取り除けず、経済成長を遂げられない日々が続き、多くの国民が政治家に深い不信感を抱いている。

この点を踏まえると、自国の政治家を罵倒する発言は珍しくない。


ところが、この女性たちは自分たちに砲弾を浴びせてくる親露派の武装勢力や後ろ盾になるロシアの話になると、口調が変わるのだ。自国の首相を務めたヤツェニュクをバカにしたような態度から一変してしまう。

「ロシアのプーチン大統領についてどう思いますか」

まさに、この村に砲弾を浴びせている張本人について、私が尋ねると、女性のうちの一人は淡々と答えた。

「彼には関係がないわ。それは別の国の話だから」

この場に同席していた別の女性も似たような答えを返してきた。

「彼は自分の国で善政を敷いてきたと思うわ。私たちは自分の国の大統領にも同じように期待したいのよ」


ロシア大統領のウラジーミル・プーチンがソ連崩壊後の混乱を克服して、経済成長を実現させて、生活水準を向上させたことを羨ましく思っているのだろう。しかもロシアやプーチンへの批判を避ける理由はそれだけではなかった。2人目の女性は次のようにも続けた。

「近隣国同士は仲良くすべきなのよ。紛争まで持ち込んでは駄目なのよ。意思があれば、いつでも（和平）合意できるはずなんだから」

まるで、ウクライナ政府が望んでいないから、２０１５年にロシアや親露派の武装勢力と結んだ停戦合意を履行できていないかのような口調だった。

私はすっかり、キツネにつままれたような気持ちになってしまった。ここは曲がりなりにも、ウクライナ政府が統治を続けている土地である。しかも、この女性たちは毎日のように、武装勢力が放つ砲弾に脅かされている。それなのに武装勢力やロシアへの怒りや非難を口にすることはなかったのだ。

マイオルスク村の住民の発言を聞いていると、理論的な結論を導くのが難しく思えてしまう。この時点でウクライナ出張は通算10回目を数えていたが、私はこの国を理解できずに、むしろ困惑を深めるばかりだった。

地域対立が残されて

それでも一つだけ、はっきりと言えることがある。

このマイオルスク村も私が取材した「２０１９年のウクライナ」の現実の一つということだ。

そうなのだ。「２０１９年のウクライナ」は幾つもの違う顔を持っており、何度も私を驚かせた。

時には軍事介入してきたロシアに虐げられ、悲しい顔をしていた。また別の時には、長年のロシアのくびきから逃れて、新たな道を歩もうとしていた。ここで紹介したマイオルスク村のように、ロシアから砲弾を浴びせられながら、親露感情を抱き続ける場所もあった。

誤解を恐れずに言えば、「2019年のウクライナ」は、日本神話に出てくる八岐大蛇（やまたのおろち）のようである。胴体こそウクライナという一つの国であるが、違う場所に行き、違う人たちに会うと、それぞれの頭をのぞかせていた。

ウクライナの東西が対立している。2000年代後半から現地への出張を繰り返してきた私が度々聞かされてきた指摘であるが、完全に同調するわけではない。それでも東と西の住民は違う価値観を持っていたという点は否定できない。

特に東端のドネツクと西端のリビウを比べると、双方の地域に住む人たちが著しく違う考えを持ち、相手への憎しみを口にすることも珍しくなかったのだ。

私は2018年3月に毎日新聞モスクワ支局に2度目の赴任をすると、ウクライナで続く戦争の取材に力を注いだ。この年の11月から1年間、繰り返し現地を訪れ、毎日新聞やデジタルサイトに設けた「クトゥーゾフの窓から」というコーナーにウクライナ情勢を書いてきた。本書では当時の記事に大幅に加筆し、再構成を試みている。

なぜ今になって「2019年のウクライナ」を取り上げるのか。

ロシアが2014年3月にウクライナ南部クリミアを併合してから、2022年2月の全面侵攻まで、おおよそ3000日の月日を要している。私がウクライナに足しげく通った2019年は、中間地点を過ぎて後半に差し掛かっていたが、全面侵攻につながる多くの兆候が見られたからだ。

この時点でロシアに仕掛けられた戦争は5年も続き、傷ついている人たちが少なくなかった。一方で実質的にロシアの支配下に収められると、諦念の気持ちに心が占められてしまう人たちも多く見た。

2019年は単なる点にはならず、一つの線となり、3000日という過去と現在をつなげていた。本書ではこのことを検証していきたい。

登場人物の年齢は取材当時のものであり、初出時に肩書を明記した後は省略している。なおウクライナの地名については原則、毎日新聞の表記に合わせている。また人名に関しても、ロシア語で取材した相手はロシア語読みで、ウクライナ語読みが定着している表記はそちらを使っている。

ロシアが実効支配しているクリミアと
ヘルソン州の間に設けられた「国境検問所」

第1章 引き裂かれた国境

2019年2月末
@ウクライナ南部クリミア

一夜にしてできた検問所

２０１９年2月26日夜、私はウクライナの首都キーウから９人乗りのワゴン車のバスに乗り込んだ。５年前にロシアに併合されたクリミア自治共和国の首都シンフェロポリへと向かっていく。

ウクライナの道路事情は総じて良くなく、高速道路の類いを走った記憶はない。キーウからシンフェロポリまで十数時間の道中でも、何度もデコボコ道で激しく揺れ、目を覚ました。バスの旅といっても、日本の高速バスのような快適なものではない。

そして、バスが完全に止まったのは翌日の朝早くだった。きちんと記録しなかったが、クリミア自治共和国に入ったペレコープという土地に着いたようだ。Ｔ２２０２と名付けられた道はウクライナ本土とクリミアを結ぶ幹線道路である。

２０１４年3月を境に、このあたりは実質的な国境地帯に一変した。今ではロシアとウクライナがそれぞれ設けた「国境検問所」の間に、全長１キロに満たない道が延びている。幼児や高齢者という特殊な事情を持つ乗客以外は、ここから先は徒歩で進んで、それぞれの検問所で出入域の手続きを取らなければならない。

ロシアがクリミア半島を併合してから５年。日本のジャーナリストがその節目に、共和国の首都シンフェロポリと半島東部のケルチを訪れる。このような訪問理由は、ウクライナ側の検問所の担当者を警戒させるには十分だった。

丁寧に対応してくれたが、上官に連絡を取り、入念に私の書類を調べていた。まだ寒い時期だったが、検問所の兵士からはすえたような匂いも漂ってきた。この時点で戦闘は起きていないが、いつロシアから仕掛けられてもおかしくない。そのような事情を考慮すると、ここは限りなく戦地に近いのだ。男性兵の体臭からは、奇妙なリアルさが伝わってきた。

このような調子だったから、バスに乗っていた他の客に比べると、私の手続きだけ長くかかった。

ようやく「出国」のスタンプを押してもらい、検問所から幹線道路に出ると、すでに他の乗客の姿は見られない。いくらウクライナ南部に来たといっても、2月末の早朝はまだ寒い。かすむ街灯を頼りに、スーツケースを引きずりながら、一人で歩き始めた。

周りに誰もいない幹線道路で野犬にでも襲われたらどうしようか。嫌な思いも頭をかすめてくる。これから先に待つクリミアでの取材について考えると、気が重くなってしまう。あまり幸先が良くない旅の始まりだ。

しばらく進むと、歩道が途切れ、車道に移らなければならない。いくら車の通行がほとんどないとはいえ、スーツケースを引きずりながら幹線道路を歩くのは嫌な気分だ。

斜め前に視線を移すと、切れたままで放置されている電線が目に入った。ここがウクライナの管轄でなくなってから久しくなり、修繕もされずに放置されている。

「国破れて山河あり」。唐の時代の詩人、杜甫はこう歌ったが、似たようなフレーズが頭をよぎる。さながら「国破れて電線切れる」とでも言おうか。

かつては一つの国だった地域が一夜にして、別の国へと分かれてしまう。小説の中のような世界が目の前に広がっていた。

ロシアの検問所では

暗い幹線道路の終点に設けられていたのが、ロシアの「国境検問所」だった。右手に掛かる看板には堂々と書かれている。「ロシアにようこそ！」その後ろには白青赤というロシアの三色旗がなびく。

盗人猛々しいというのか。開き直っているというのか。核大国のロシアが力ずくで隣国の領土の併合を試みると、国際社会がいくら規律違反を唱えても、現実的にはあらがう手立てがない。そのまま5年の月日が過ぎてしまった。この看板はそのような現実を見せつけるかのように立っていた。

この時点で私はロシアに住んで通算7年を迎えていた。この国の国境警備隊には慣れたつもりでいても、彼らと向き合うのは気持ちがいいものではない。

ましてや日本人の記者としてクリミアへ入境していく。必要な書類をそろえているとはいえ、細かい点まで尋ねられるのは間違いない。心の中でため息を一つ。窓口に着くと、パスポートや通行許可書、ロシア外務省が発行した記者証を差し出した。

向き合ったのは30～40代に見える女性職員。赤みが強い日本のパスポートを目にすると、やはり目の色が変わった。警戒モードのギアを上げた感じだ。書類に一通り目を通してから尋ねてきた。

「クリミアに来た用件は何ですか?」

「クリミア併合から5年。それを取材に来ました」

余計なことはしゃべらないに限る。

「行き先はどこなの?」

「シンフェロポリとケルチ……」

事実関係だけを淡々と答えていく。

日本への関心が高く

検問所でこのように面白くもない会話を繰り広げている時だった。後ろに控えていた男性職員が表情を崩して、にやにやしながら会話に入ってきた。

「君の携帯電話の機種はどこの社だ?」

はあ？　何で、そんなことを聞いてくるのか意図が読めない。

そう思ったのも一瞬だ。ああ、この人は日本に関する話をしたいのだな、と感じ取った。幸いにも胸のポケットに収まっているのは、機種を変えたばかりのソニー製の携帯だった。

「ソニーだよ。Ｘｐｅｒｉａだ」

即座に答えた。

男性職員は「やっぱりな」という表情を見せた。日本人は自国の製品を誇りに思っているのだろう。そのようなメッセージをにじませてくる。

旧ソ連圏では一般的に日本に対する好奇心が強いうえに、その技術力への尊敬の念が小さくない。かつてジョージア（グルジア）の国境地帯で警察官と会話した時のことだ。

「俺は日本でＵＷＦ（かつて存在した人気のプロレス団体）の試合に出たことがあるんだよ」

誇らしげに打ち明けられた体験もある。彼らにしても予期せぬところで日本人と会うと、日本を話題にしたくなるのだろう。旧ソ連の国々では、日本はいまだに、まだ見ぬ東方の黄金の国だと思われている節がある。

今回の検問所でも男性職員からの質問が続いた。

「君の車はどこのブランドだい？」

これも偶然だが、私はモスクワでトヨタのカローラに乗っている。

「トヨタだよ」

その答えを聞くと、男性の笑顔が止まらなかった。こちらは、さながら看守を喜ばせている囚人のようだ。面倒くさい入境の手続きを前にして、職員との会話が弾んできたことにホッとしていた。

ガシャリ。女性職員が私のパスポートに押した「入国」のスタンプの音が響いた。晴れてロシアが実効支配するクリミアへと足を踏み入れる。


検問所を出ると、暁の空には半月が雲間から顔をのぞかせていた。視線を前方に移すと、売店を兼ねたカフェが店を開けていた。スーツケースを引っ張り、店に入ろうとすると、路上の男性が声をかけてきた。

「(ウクライナの通貨)フリブナから(ロシアの通貨)ルーブルに換金するよ」

そうなのだ。ウクライナや国際社会が正当性を認めていなくても、クリミアではロシアの通貨が流通して5年がたつ。この男性に声を掛けられて、ロシアの占領地に足を踏み入れたことを実感した。

人為的に作られた国境を越えたのだが、携帯電話の時間帯が自動的に変わるのかも定かではない。時計もウクライナ時間からロシア時間へと切り替えねば。この地ではウクライナ本土と切り裂かれ、ロシアに併合されたクリミアの現実が待ち構えていた。

3年前の幹線道路は

この時の取材から3年。運命の2022年2月24日、ロシアはウクライナへの全面侵攻を始めた。

すでにウクライナとの国境付近に15万人以上の軍を動員していたことから、欧米の情報機関はロシアの侵攻が時間の問題であると見立てていた。通常、インテリジェンスとは公にしないものだが、この時のバイデン米政権はあえて機密情報を公表し、ロシアに侵攻を思いとどまらせようとした。だが、かたくななプーチン政権は3方面からウクライナへ攻め込み、悪夢のような戦争が始まった。

一方的な併合から8年。すでに軍事要塞となっていたクリミアからは、ロシア軍がウクライナ南部へ向けて進んでいき、ヘルソン州などを瞬く間に占拠した。全面侵攻初期のロシアは、ウクライナ南部で容赦なく実効支配する地域を広げていった。

なぜヘルソン州がいとも簡単に落ちたのか。情報機関である保安局（SBU）の州幹部たちがロシアの侵攻前に退避したり、地雷の埋められている地点などの情報をロシアに供与したりしたことから、ロシアによる侵攻を側面支援したとみられている[1]。2022年2月の段階でウクライナ国内は、ロシアによる侵攻の脅威にさらされながら一枚岩になっていなかった。

ヘルソン州の大部分を占領下に置くと、ロシアはルーブルを流通させたり、自国のパスポートを交付したりして、着々と実効支配を進めていった。そして２０２２年9月末には、他のウクライナ東・南部3州と共に、ヘルソン州を自国に併合すると一方的に宣言したのだ。ただし1カ月半後には州都ヘルソンから撤収する事態に追い込まれており、この先もヘルソン州東部の支配がいつまで続くのか定かでないようだ。

現在のロシアの地図では、クリミアを含めてウクライナ東・南部に位置する五つの共和国や州が自国と同じ色で塗られているが、国際社会が同調することはない。武力を使い、隣国の土地を占拠し、自国領に組み込んでいく。小説や映画の中でしか起こらない、少し前までそう思われてきた出来事が、次々と現実になっている。

私はスーツケースを引きずり、ウクライナ本土とクリミアを結ぶ幹線道路をトボトボと南下していた。クリミアからウクライナ本土に戻る際にも、別の幹線道路を歩き進んだ。そしてその3年後、今度はクリミアから北上するロシア軍の部隊が幹線道路を進撃し、ウクライナ南部へと攻め入った。「２０１９年のウクライナ」と「２０２２年の全面侵攻」は確かな線で結ばれていた。

ロシア兵の像と少女

第2章

勝者が語る真実とは

2019年2〜3月
@クリミア

ソ連時代からリゾート地として知られるクリミアだが、2月から3月にかけては不順な天候が多い。例に漏れず2019年2月27日は横殴りの雪が降っていた。ただし、雨交じりの雪だから積もることはなく、ひたすら道路を濡らしていた。

クリミア自治共和国の首都シンフェロポリ。中心部にある議会前の広場には、等身大の兵士と少女の銅像が建っている。これは5年前にクリミアに派遣されたロシア兵がロシアへの併合に貢献したことへの謝意を表すために建てられた。

その動かぬ兵士の手元には、無数の赤いバラが置かれていた。なぜならば、この日はクリミアの運命を決した出来事から5年がたつ「記念日」だからだ。

2014年2月27日。この日を語る前に、ロシアとウクライナの歴史と、冷戦後にウクライナで起きた出来事を駆け足でなぞっていこう。

崩壊した親露派政権

今のウクライナでは9世紀ごろにキーウを中心として「キエフ・ルーシ」という国が建国され、ロシア南部も含んだヨーロッパ最大の版図を持つ国として栄えた。13世紀にモンゴルの襲来を受け崩壊したのだが、キエフ・ルーシはウクライナのルーツとなっただけではない。

ロシアは自国こそがキエフ・ルーシの後継国家に当たると唱えてきた。その主張は以下の通りだ。キエフ・ルーシの一地域だった「モスクワ公国」がその後に帝政ロシアとなり、ソビエト連邦を経て、今のロシアにつながっている。一方でキエフ・ルーシが滅びた後のウクライナでは、それらしい後継国家が存在しなかった。そのうえでロシアとソ連は今のウクライナ領を長く統治してきたというのだ。

シンフェロポリの街並み

長い間、ロシアの支配下に置かれてきたウクライナは1991年のソ連崩壊に伴い、独立国として歩み始めた。しかし2000年代に入ると、地域対立が顕在化し、「東」と「西」の間で激しく揺れるようになった。欧州の一員になりたいという願望を持つ一方で、ロシアとの民族的、歴史的なつながりを重んじる声も根強かった。独立後のウクライナでは汚職がまん延し、オリガルヒと呼ばれる新興財閥が政治に干渉したこともあり、国民の生活はなかなか向上しなかった。

2004年には大統領選での不正開票疑惑をきっかけにして、「オレンジ革命」と呼ばれる抗議運動が起こり、親欧米派とみられたビクトル・ユーシェンコが翌年に大統領に就いた。ところが期待されたような改革を実現できず、次の大統領選で再選に失敗した。

新たに大統領に就任したビクトル・ヤヌコビッチは親露派とみなされたが、将来的な欧州連合（ＥＵ）加盟を見据えた交渉には引き続き取り組んだ。これに横やりを入れたのがロシアである。

　プーチン政権は旧ソ連諸国を経済的に再統合する試みに力を入れていたから、ウクライナを是が非でも引き込みたかった。そのためにウクライナのＥＵ入りは阻（はば）まなければならない。ロシアは大規模な経済支援をちらつかせて、ヤヌコビッチ政権にＥＵとの交渉を凍結に踏み切らせたのだ。

　これに怒ったのが、ウクライナ国内でも欧州への接近を望む国民だった。２０１３年秋から首都キーウで抗議活動を始めると、この運動は「マイダン」と呼ばれていく。当初は平和裏の抗議活動だったが、治安当局が抗議運動への取り締まりを強めると、一部参加者も暴力で応じ、激しく衝突した。翌年の２月中旬になると、当局が抗議運動の参加者に向けて発砲し、１００人を超す犠牲者を出す惨事に至った。

　一部では、抗議運動の主体となった勢力が参加者への発砲に関与したと指摘されているが[1]、個人的にはそのような可能性は低いと思っている。真相が発覚した場合のリスクが大きすぎるし、彼らがそこまで巧妙に計画し行動できるとは想像しにくいからだ。

　ことの真相はいまだに解明されていない。それでも多数の抗議運動の参加者が殺されたことにより、ウクライナ国内では政権への批判が一層強まった。そのためＥＵとロシアが仲介役となり、２月21日にヤヌコビッチ政権と抗議運動を支持する野党は、政治的解決策で合意に達した。

これで事態が収まると思われた。しかし恐れをなしたヤヌコビッチはその日のうちに首都を脱出し、最終的にロシアに亡命してしまう。汚職の限りを尽くしたといわれるヤヌコビッチの政権はあえなく崩壊した。

数日の内に親欧米派が中心となった暫定政権が発足し、ウクライナは一気に親欧米路線に走って行くかのように見えた。ここで事態を複雑にさせたのは、抗議運動で影響力を発揮した極右政党「自由」の関係者が入閣したことだった。

残された時限爆弾

急転した事態に危機感を覚えたのがロシアである。このままウクライナが親欧米路線をひた走れば、プーチン政権が最も嫌う北大西洋条約機構（ＮＡＴＯ）への加盟に突き進むのかもしれない。さらに極右政党が入閣したことも、暫定政権がウクライナ民族主義に傾いていくとの懸念を強めさせた。

ロシアはすぐにロシア系住民が多いウクライナ南部クリミアで行動に出た。これが運命の２月27日だった。

前日にクリミアの首都シンフェロポリでは、ロシア系住民とクリミア・タタール人（クリミアの先住民）が衝突し、死者を出していた。混乱のさなかに、軍服の記章を外し、覆面をかぶった兵士の一隊が共和国議会に乗り込んだ。兵士たちに守られた環境が整うと、親露派の議員だけが出席する中で、クリミアをロシアへ編入するのか、その是非を問う趣旨で住民投票を実施すると決めたのだ。

帝政ロシアがクリミアを自国領に併合したのは18世紀後半のことだ。19世紀半ばのクリミア戦争では英国やフランスなどと戦火を交え、多大な犠牲を出したこともあり、多くのロシア人はクリミアに特別な思いを抱いてきた。

ロシア革命（１９１７年）を経て誕生した社会主義国のソ連は、連邦制を敷いた。そのためクリミアは当初、ロシア共和国の所管だったが、１９５４年に時の指導者ニキータ・フルシチョフにより、ウクライナ共和国に移された。

なぜならば、この年はロシアとウクライナの記念すべき年とされたからだ。３００年前の１６５４年に、ウクライナの指導者は西の大国だったポーランドなどを恐れ、ロシアの宗主権を認める協定を結んでいた。これはウクライナがロシアの傘下に入る第1歩となった。時の指導者フルシチョフは記念すべき年を迎え、ロシアとウクライナの「兄弟愛と信頼の証」として、クリミアの移管を決めたとされる。

これが表の理由だとすれば、裏の理由もささやかれている。ウクライナ共和国内にロシア系住民が大半を占めるクリミアを移管してしまう。そして現地のロシア化を進める狙いがあったのではないかという指摘だ[2]。フルシチョフは表向き、民族間の友好をうたいながらも、内実はトロイの木馬を送ろうとしたのかもしれない。

別の証言もある。独立後のウクライナで初代大統領となったレオニード・クラフチュクは、1953年にクリミアに足を運ぶ機会があったという。当時のクリミアは貧しく、この地に移住させられた住民たちは、視察に来たフルシチョフに対し、別の地に再度、移住させてほしいと請願してきた。そこでフルシチョフはクリミアを、近くのウクライナの管轄下に移し、面倒をみさせることに決めた。クラフチュクはそう証言する[3]。

いずれにしろ、当時は同じソ連国内での所管の変更に過ぎず、問題視されなかった。後から振り返れば、クリミアのウクライナ共和国への移管とは、フルシチョフが設置した最大級の時限爆弾だった。

力ずくの併合

ソ連崩壊直前の1991年12月、ウクライナ共和国が独立の是非を問う国民投票を実施すると、クリミアでも54%の賛成票が投じられた。この月のうちにソ連は崩壊し、クリミアは独立国家ウクライナの所管となった。

これにはロシア国内で多くの人が反発し、この後からクリミアは「失われた土地」とされていく。クリミアは対ウクライナの外交問題にとどまらず、ロシア内政の文脈でも難しい問題となっていくのだ。

1954年にフルシチョフによって設置された時限爆弾は秒針を進めていき、2014年に零時を指して、爆発を起こした。

ウクライナで親露派とみられたヤヌコビッチ政権が崩壊すると、プーチンは自国の影響力がそがれる事態に強い危機感を抱いた。同時に、ソ連崩壊後から虎視眈々(こしたんたん)と狙っていたクリミアを奪還する好機と判断した。そう見て間違いないだろう。

ロシアはクリミア自治共和国の議会に圧力をかけ、自国への併合の是非を問う住民投票に踏み切らせた。繰り返しになるが、クリミアの議会が2月27日、ロシアへの編入の是非を問う住民投票の実施を決めた際には、親露派の議員しか採択に参加していなかった。それに先立ち、記章を外した覆面姿のロシア軍部隊が議会を占拠している。

そして3月16日の住民投票では、9割の有権者が参加し、9割が賛成票を投じたとの結果が発表された。クリミア半島西端に位置する特別市のセバストポリでも、同じように住民投票が強行されて、9割の賛成票が投じられた。公式にはそう発表されている。

欧米諸国からは投票が透明性にかけるとの批判が相次いだが、当然ながら、ロシアは意に介さない。「圧倒的な民意」という錦の御旗を掲げると、プーチンは18日にクリミアとセバストポリの併合を高々と宣言した。

力ずくで国境を変更しない。冷戦後の国際社会で尊重されてきた規範はいとも簡単に破られた。プーチン政権は欧米との関係を考慮して、ためらうような姿をみじんも見せなかった。

編入を支持する中高年

私がクリミアを訪れた2019年2月に話を戻す。

2月27日。シンフェロポリの街は、ロシアの部隊が議会を占拠してから5年という節目の日を迎えていた。10代前半と思われる少女がロシア兵士の銅像に近づくと、すでに手元にあった花を軽く持ち上げてから、置き直した。自分では花を買うお金を持ちあわせていなかったのだろうか。花を置き直すことにより、ロシア兵への感謝を表しているかのようだった。

欧米諸国からごうごうたる非難を浴びたクリミア併合だが、今のシンフェロポリの市民に尋ねると、正当な投票だと答えてくる人が少なくなかった。

年金生活者の女性ニーナ（65）は孫の男の子を連れて、広場を通りかかっていた。5年前に議会を占拠した覆面部隊について尋ねると、次のように答えてきた。

「物静かな兵士たちでした。その場に居合わせたのかも気がつかないぐらいでしたから」

そのうえで、銃口を突き付けられて実施された3月16日の住民投票を褒めたたえた。

「彼らのお陰で、人生で初めて胸を躍らせながら、住民投票で票を投じることができたのです」

クリミアにおける取材では常に臨時のアシスタント、キリル・ナゴルニャク（28）が私に帯同していた。普段は地元政府で働いており、その思想は筋金入りのロシア寄りである。

私の取材を手助けしてくれる一方で、半ば監視役も担っているから、私の質問に答える人は常に「彼の視線」を気にしなければならない。

そのような事情があったとしても、今回話を聞いたニーナは本心を隠さずに明かしてきたと思う。民主的な投票などには関心がない。彼女にしてみれば、ロシアに併合されたことがうれしくて仕方がなかったのだろう。そのような思いがありありと伝わってきた。

警備関係の仕事に就く男性イーゴリ（49）も、ロシアに併合された喜びを隠そうとしなかった。

「クリミアがあのままウクライナに残っていたとすれば、ドンバス地方（ドネツク、ルガンスク両州一帯）みたいに戦争が起きていたかもしれません。私はロシア系だし、クリミアはずっとロシアの土地だと思っていました。この結果でよかったと思います」

ドネツクのように戦争が起きなかったので、ロシアによる併合が「悪くなかった」という回答も随分とひどいものだ。この男性も、ロシアが力を用いて国境を変更した倫理違反を問題視しなかった。

この２人に共通するのはソ連時代のクリミアで育ったことだろう。かつてはウクライナ共和国に所属していたが、多くのロシア系住民は自分たちが広い意味で「ロシアに住んでいる」という意識を持っていたという。ところが１９９１年のソ連崩壊により、一夜にしてウクライナ国民というラベルに替えられた。

これはクリミアに住む多くのロシア系住人にとって受け入れがたかったといわれる。ましてや独立後のウクライナは常に財政難に悩まされ、クリミアの経済開発に真剣に取り組まなかった。ついに堪忍袋の緒が切れて、ロシアによる併合を支持するようになった――。多くのロシア系住民はこのようなナラティブ（言説）をそのまま受け入れて、ウクライナ政府にも非があったと断じるのだ。

これはロシアが国際的なルールを破り、一方的に併合しながらも、正当化する言い訳である。それでもクリミアでは、少なからぬロシア系住民がこう信じ切っていた。ここで話を聞いたニーナもイーゴリもしかりである。

揺れる若い世代

それではソ連を知らない世代は、自分たちの国籍が一夜にしてロシアへと変えられたことをどう捉えているのだろうか。

日本の中学3年生に相当するロスティスラフ（16）に尋ねてみると、当惑しながらも答えてきた。

ロシアに併合された後のクリミアでは、学業が優秀な学生を選抜していくプログラムとして「オリンピアード」という制度が設けられたという。取材助手ナゴルニャクは、クリミア併合がもたらした「良い結果」を誇示したいと思ったようだ。私の質問に割り込み、この若者に「オリンピアード」の効用について尋ねてみせた。

「はい、私の学校でもオリンピアードの制度が始まっています。今後の可能性は広がったと思います。オリンピアードを勝ち進めば、そこから先に進めますし」

このような模範解答を返してきたのだ。ただし、得てして若者は正直である。今度は私がウクライナとロシアという「二つの祖国」への思いを尋ねてみると、複雑な胸の内を隠さなかった。

「私が生まれたときはウクライナだったのです。だから故郷として、ウクライナが残ってほしいと思っています」

一方で私に同行していたナゴルニャクの視線も気にしたようだ。次のように答えてくることも忘れなかった。

「それでも今はロシアになったことを悪く思いません」

若者なりに配慮して、再び模範解答を返してきたのだ。いや配慮というよりも、ウクライナ時代を懐かしがる本音を話したことについて、怖くなったのかもしれない。

ロシア語の制限を巡り

なぜ2014年のクリミアはロシアによる併合を求める立場にかじを切ったのか。

ひとつにはヤヌコビッチ政権が崩壊すると、極右政党の「自由」が暫定政権に入閣したことにより、ウクライナの民族主義者が権力を握るかもしれない。そのような懸念がクリミア住民の間で広まったことがある。

さらに別の理由とされているのは、ロシア語の使用禁止をめぐる動きだ。親欧米派が牛耳った最高会議（議会）がロシア語の使用を制限しようとした。そのためにクリミアはウクライナと離別することを選び、ロシアへの併合を求める道を歩まざるを得なかった。クリミアのロシア系住民や後ろ盾となるロシアはこのように強弁する。

これは巧妙なプロパガンダだったのだが、多くの住民を信じ込ませる説得力を持っていた。その背景を理解するためにも、まずはウクライナにおけるウクライナ語とロシア語をめぐる問題を紐解いてみよう。

ウクライナ語とロシア語は近いが、似て非なる言葉であるといわれる。かつては古代ロシア語としてひとくくりにされていたが、8世紀から14世紀にかけて共通性が薄れていき、今のベラルーシ語も含めて三つの言語に分かれていった。現在でもウクライナ語とロシア語にはスルージクと呼ばれる混成言語もあるが、片方の言葉を全く知らないと意思疎通を図るのが難しいといわれる。

言語としての発達も対照的な道を歩んだ。

15世紀にタタールのくびきから脱した後のロシアでは、ロシア語の発達を阻害するような政治的な障害が少なかった。一方で、キエフ・ルーシが13世紀に滅亡した後、西部がポーランドなどに、東部や南部がロシアに支配されたウクライナでは、ウクライナ語の自然な発展が阻害された(4)。

今のウクライナの東半分を支配した帝政ロシアは、都市部を中心にして社会のロシア化を進めた。18世紀以降に度々、ウクライナ語の使用禁止令を発したこともあり、都市部に住むウクライナ人もロシア語を話すようになったのだが、農村部ではウクライナ語が話され続けた。

その後に1917年に起きたロシア革命で帝政ロシアが滅びると、社会主義国のソ連は連邦制を敷き、ウクライナにも共和国を誕生させた。

ソ連の実態はロシアが欧州から中央アジアにかけて広大な国土を支配していたといわれる。そのためロシア人が支配を続けたウクライナ共和国では、ウクライナの民族主義を利用したり、抑えつけたりする狙いから、その時々で言語政策も変えられた。

1920年代には政府でウクライナ語の使用が奨励されたが、1930年代になるとロシア語教育が義務化され、1970年代からはロシア語による出版が優先されるなど、ウクライナ語が重んじられない時代が続いた[5]。

ウクライナ語が公用語に据えられたのはソ連末期になってからだ。数世紀にわたるロシアのくびきを逃れ、ようやく公用語としての地位を取り戻したはずだった。ところがウクライナではその後も、ロシア語を第1言語とする国民が一定の割合を占めていく。

ロシア語を話す人々

2001年に実施された国勢調査では、ウクライナ語を第1言語とする人が67%を占め、ロシア語は29%との結果が出た[6]。ただし、この数値が実態を反映しているとは言い難かった。歴史的にロシア系の住民が多い東部や南部にとどまらず、首都のキーウでも日常の言葉としてロシア語を使う人が圧倒的に多いからだ。

ウクライナの世論調査機関レイティングが2012年7月に実施した調査では、57％がウクライナ語を母国語と回答した一方で、ロシア語は42％となり、2001年の国勢調査ほど離れていない[7]。

「本当はロシア語を第1言語としながらも、調査に答える時にはウクライナ語を選んでいる人も多いと聞いています。多くの国民がどれだけ真剣にこのような調査に答えているのかなんて分かりません。だから、この調査が実態を反映しているとは言い難いのです」

キーウに駐在する西側の外交官もこのような分析を明かしてみせる。

なぜ、このような事態を生んでいるのか。

若い世代はウクライナ語とロシア語を使い分けられるが、ソ連時代に教育を受けた世代になると、ウクライナ語を理解できない人も少なくないといわれている。

「私はウクライナ語がほとんど分かりません。だから役所に出す書類をウクライナ語でしか記入できなくなると、本当に困ってしまいます」

まだウクライナが大混乱に陥る前の2012年のことだが、キーウでの取材を手助けしてくれた現地の男性がこう漏らしたことを覚えている。

ウクライナ語とロシア語を巡っては、個人的に驚いた体験がある。

私が初めてキーウに出張した2009年1月のことだった。知人の紹介で夕食を共にしたウクライナ人の男子大学生は日本の滞在経験が長かったこともあり、流ちょうな日本語を操っていた。まだウクライナについて多くを知らない私に対して次のように打ち明けてきた。
「大学でウクライナ語を話している女の子と会うと、こちらから引いてしまいます。鈍くさく思えるからです。なぜかといえば、ウクライナ語は田舎の言葉だと考えられてきたからなのです」

自分の国で公用語を話すことを「鈍くさい」という感覚が信じられなかった。この時点でウクライナがソ連から独立して18年が過ぎていたから、独立国としての歴史が短すぎたわけではない。それでも2009年の時点では、若者が公用語のウクライナ語を卑下するような発言も聞かれたのだ。

この問題に関して、2019年6月時点の世論調査機関レイティングが発表した数値を見てみよう。
回答者の66%が「ウクライナ語が唯一の公用語であるべきだ」としているが、21%が「ロシア語も公用語とするべきだ」と表明していた。さらに11%が「ロシア語には特定の地域の公用語のステータスを与えるべきだ」と回答している。およそ3分の1がロシア語の地位を定めるべきだと主張しているのだから、決して少なくはない。

当然ながら、この傾向は東部や南部では顕著になっている。「ロシア語も公用語とするべきだ」との回答は、東部で43%、南部で36%まで達している。

政治利用が裏目に出て

言語を巡る問題は国民の一人一人や特定の集団のアイデンティティーに関わり、繊細なテーマである。特にウクライナのように、公用語であるウクライナ語と一部地域で主要言語とされてきたロシア語が混在する社会では、政府や政治家がことさら慎重にアプローチしなければならない問題だ。

独立後のウクライナでは公的な空間でもロシア語の使用が認められる二面性が担保されていた。しかし2005年にウクライナ西部の支持を背景にして大統領に就いたユーシェンコは、それまでのウクライナ政治のタブーを破り、ロシア語を制限する動きに走った[8]。その後のウクライナでは、政治家が自らの支持を広げる狙いで、しばしば言語の問題を都合よく利用して、一部住民の感情をあおる傾向が目立つようになる。

たとえば2000年代半ばから、南部や東部の自治体が独自の措置として、ロシア語を地域言語に据えるような動きが相次いだ。多くの住民がウクライナ国民であるとのアイデンティティーを強めていたとしても、自分たちが話す言葉に関しては簡単に譲歩する気がなかった証といえる。

東部を基盤とするヤヌコビッチ政権は２０１２年、ある地域で1割の住民が特定の言語を第1言語として使っているのならば、その言語を地域の公用語として認めるという法律を発効させた。政権の狙いは明確だった。自分たちが支持基盤とする東部や南部の住民の意向を尊重し、13の州や特別市でロシア語を地域の公用語に格上げさせたのだ。

当然ながらウクライナ国内では国の分断や地域間の対立を助長しかねない法律への批判が集まり、反発が強まった。それでもヤヌコビッチ政権は素知らぬ顔をしていた。

しかし２０１４年2月になり、ヤヌコビッチが国外逃亡すると、親欧米派を中心とした最高会議（議会）はこの法律を撤廃することを決定した。ウクライナの公用語はウクライナ語である。すでに四半世紀も前から決められた原則である。そのために国内の対立を助長しかねない法律を廃棄し、国内に明確なメッセージを発する狙いがあったのだろう。

ただしタイミングが悪かった。親欧米派で占める暫定政権が権力を握った直後に、最も繊細な問題の一つに手を付けたことから、ロシア語を話す多くの住民たちに、あらぬ疑いを抱かせた。

この事態を利用したのが、ロシアであり、ウクライナ国内で連携してきた勢力だった。権力を手にした暫定政権側がロシア語の使用に制限をかけているというプロパガンダを流し、東部や南部の住民の不安をあおり立てた。一番の標的になったのが、クリミアであるのはいうまでもない。

結局のところ、当時の暫定大統領はロシア語などを地域の公用語とした法律の破棄を決めた最高会議の決定に署名しなかった。そして、憲法裁判所がロシア語などを地域の公用語とした法律について憲法違反だと判断したのは2018年になってからだった。

ところが、クリミアの強奪から5年が過ぎても、ロシアやロシアと連携する勢力は、このプロパガンダを唱えている。キーウで権力を握った勢力がロシア語の使用を制限しようとしたから、我々は防衛的な手段を取らざるを得なかったのだ——。そしてクリミアの住民たちはこの流説を信じ続けていたのだ。

言語の政治利用がやまず

私がクリミアを取材していた2019年に話を戻そう。

この時点でロシアへの編入から5年を迎えようとしていたが、いまだに「ウクライナ国内ではロシア語が禁じられている」と信じている若者と出会った。

「今のウクライナではロシア語が禁じられているじゃないですか」

こう話すのは大学の医学部2年生のアレクサンドル（19）だ。

「クリミアもウクライナだった時代には、ほとんどの授業がウクライナ語でやり取りされていました。それでもロシア語は禁じられていませんでした。（日常会話では）ウクライナ語を押しつけられていなかったのです」

そして次のような結論にいたった。

「今のウクライナの政治や経済状況は私にとって都合がよくないのです。ロシアと再統一されてよかったと思っています」


彼はクリミアから外に出ることがないのか。

隣接するウクライナ南部や東部では、いまだにロシア語が日常会話に使われている。首都キーウでも街の表示からロシア語が少なくなっても、まだ多くの人がロシア語を使っている。

クリミアでは若い世代ですら、このような現実を知らずに、プロパガンダをうのみにしているのか。それとも、自分たちが知りたいと思う側面だけを見ているのだろうか。

いずれにしろウクライナ政府がロシア語を禁じているという流説は、クリミアで生き永らえていた。

再び迎えた苦難の時

なぜ2014年のプーチン政権は国際社会からの反発が予想されながらも、クリミア併合に突き進んだのか。

地図を見ればわかるように、クリミアは黒海に突き出し、周辺の国々を臨む要衝となっている。黒海沿岸にあるルーマニアやブルガリアは冷戦時代、ソ連の衛星国家となった。いったん、そのくびきから逃れると、ロシアが忌み嫌う北大西洋条約機構（NATO）の陣営へとくら替えする。今では黒海周辺に、ロシアにとって潜在的な敵性国家がズラリと並んでいる格好だ。

ソ連崩壊後のロシアはクリミア半島西端にあるセバストポリの海軍基地の利用と黒海艦隊の分割を巡り、ウクライナと対立した時期がある。最終的には2017年までセバストポリの基地を利用して（その後に2042年の利用まで延長）、黒海艦隊についてはロシアに8割、ウクライナに2割の比率で分割することに落ち着いた。

しかし過去にウクライナと対立した経験を踏まえると、ロシアはクリミアとセバストポリを失うかもしれないとの恐怖を抱いた。そう考えても不思議ではない。そのうえに、クリミアとの歴史的なつながりが、ロシアをクリミア奪還に突き動かしたとみるのが妥当だろう。

このような地理的な条件もあり、クリミアでは古代から多くの民族が入り乱れ、興亡を繰り返した。古くはギリシャ人やローマ人が植民都市を建て、13世紀になると、モンゴル帝国の流れをくむタタール人がこの地に入ってきた。彼らはイスラム教を信仰し、トルコ語系のタタール語を話し、やがてクリミア・タタール人と呼ばれていく。ロシアが18世紀後半にクリミアを自国領に編入すると、その支配下に置かれた。

クリミア・タタール人にとって最初の苦難は、第二次大戦中の指導者ヨセフ・スターリンによってもたらされた。敵対していたナチスドイツと共謀したとの疑いをかけて、クリミア・タタール人を当時のウズベキスタン共和国などに強制移住させたのだ。

彼らはソ連末期までクリミアに帰還できずに、異境の地で長く辛い時期を過ごさねばならなかった。

2014年に第2の試練が訪れた。

プーチン政権は、クリミアが歴史的にロシアの領土であるとのプロパガンダを掲げて占拠した。独自の文化を持つクリミア・タタール人は邪魔な存在となる。クリミア・タタール人の政治組織の活動を禁じ、指導者らをクリミアから追放する手立てを講じたのだ。

閉ざされたテレビ局

クリミアを訪れた際には、是非、訪れたいと思っていた報道機関があった。クリミア・タタール語で報道する民間テレビ局のATRである。2014年に始まったウクライナ危機については、モスクワ支局に赴任していた同僚の真野森作が取材に力を注いできた。彼の著作の中で、ATRの女性記者が記者会見でプーチンに質問した場面が紹介されている[9]。そこでクリミアを訪れた私は、この記者にクリミア・タタール人が置かれている現状を尋ねたいと思っていた。

ところが、いきなり冷や水を浴びせられる。

「何を言っているのですか。ATRはもう活動していません」

現地の助手ナゴルニャクにATRを取材したい旨を告げると、鼻で笑われた。

事前にATRについて調べておかなかったのはうかつだった。すでに4年前に活動を停止させられていたのだ。その理由は、トルコ政府から資金を受け取っていたためだというのだが、ロシア政府としてはなにがしかの理由をつけて、批判的な放送を続けてきたATRを封じ込めようとしたのだろう。

それでも私はナゴルニャクに、タタール系の別のメディアを紹介してもらえないかと頼んでみた。

「なぜ、そんなにタタールにこだわるのですか」

ナゴルニャクには再び笑われたのだが、クリミアでは併合に反対するタタール人が殺されたり、行方不明になったりする事件が相次いでいた。ロシアに併合されてから5年の節目に、タタール人が置かれた状況を聞かずにはいられない。

ナゴルニャクに再度頼んだ結果、新たに設立されたタタール語の公共メディアを案内してもらうことになった。

暗いニュースは報じない

「ミレット」

これが案内されたタタール語のメディアの名称である。オスマントルコの統治下では非トルコ系や非イスラム教徒を統治する組織がミレットと呼ばれたことが、この名前の由来になっているようだ。

ミレットのオフィスでは、真新しい壁に4台の液晶テレビが設置されて、プーチンの姿が映し出されている。

ふと考えてしまった。クリミアの人たちは一夜にしてプーチンが自国の大統領になったことに違和感を覚えないのだろうか。自国に乗り込んできた占領者と思っていないのだろうか。

一見すると局内には、女性従業員の姿が目立ち、若さと活気にあふれているように思えた。

「若いスタッフが多いけれども、年々報じるニュースの質も上がっているのです」

こう話す局長のエブリン・ミサエフも30歳という若さだ。

ミレットのエブリン・ミサエフ局長

だが、ミサエフとの会話を進めていくうちに、違和感を覚え始めた。

私がクリミア・タタール人に対する差別や犯罪などを尋ねても、ミサエフははぐらかすような回答しか返してこない。そのうちに事件よりも生活に密着した情報を伝える方が重要であると、言い始めた。そして活動を停止させられたATRについては、次のように断じてみせた。

「ATRは暗いニュースばかりを報じていました。もっと放送内容のバランスを取るべきだったと思います」

とてもではないが、メディアのトップが口にする言葉ではない。なぜクリミア・タタール語中心の放送局でありながら、クリミア・タタール人の身の上に起きている出来事を伝えず、その思いに寄り添うような報道をしないのだろうか。

この点については、私が後にキーウで取材したクリミア・タタール人の政治組織メジュリスの幹部が解説してくれた。

「この放送局は我々の間では『ネコ』とやゆされているのです。クリミア・タタール語の隠語で、『尻』を意味します。完全に政府の支配下に置かれているのです。よくあるプロパガンダの放送局ですよ。ウクライナがいかにひどい状況にあるのか。誰がロシアに逆らっているのか。ロシアがクリミアで素晴らしいことをしているのか。そんなことばかりを伝えているのです」

　こう話すレファト・チュバロフは、併合された後のクリミアで活動を禁じられて、キーウに移らざるを得なかった。取材をした2019年3月当時、彼はウクライナ最高会議の議員を務めていた。

「今のクリミアでは、クリミア・タタール人が駆り立てられるように暮らしています。朝になると（警察などに）家に押し入られたりもしています。でもミレットはそんなことを報じる気は毛頭ありません。（クリミア・タタール人が関連した）裁判だって一度たりとも伝えていないのですから」

　ロシアに併合された後の5年間で、クリミア・タタール人を支えるはずの放送局が失われた現状を打ち明けてきた。

　このような話も、私がキーウに戻ってきたからこそ聞けたのである。現地の助手ナゴルニャクが私に密着しているクリミアの取材では、とうてい聞けるチャンスはなかった。

勝者への反論とは

なぜクリミアの住民はいとも簡単にロシアによる併合に賛同したのか。もう一度、勝者となったロシアや連携した勢力の主張に触れてみよう。

ソ連崩壊により、クリミアはウクライナ領になったのだが、ウクライナ政府は地域経済の発展を怠ってきた。そのために多くのロシア系住民が不満を募らせていたし、その責任は歴代のウクライナ政府に課されるべきだ。

そして2014年2月のウクライナでは、親露派の大統領とみられていたヤヌコビッチが反政権運動に耐えきれず、首都から逃亡し政権が崩壊した。その直後に、ウクライナの民族主義者も交え、親欧米派が権力を握り、ロシア語の使用を制限しようとした。

そのためにクリミアの人たちはロシア語を話し続ける権利が奪われるのではないかと恐れた。だからクリミアが住民投票を経てロシアへの編入を決めたのは、自衛的な措置だった。ましてやクリミアは歴史的にロシアに属すべき土地である。

これがロシアやクリミアの支配勢力の言い分だった。

先ほど紹介したチュバロフは次のように反論する。

「歴代のウクライナ政権はクリミア・タタール人に関する問題を解決しようとしませんでした。

クリミアのウクライナ系のコミュニティーが抱えている問題にも注意を払いませんでした。キーウにとって、クリミアで最大のコミュニティーを作っているロシア系に配慮することが最も簡単なやり方だったのです。だから『ロシアは我々の戦略的パートナーだ。モスクワは兄弟である』とのスローガンを掲げ続けました」

つまり歴代のウクライナ政権がクリミアのロシア系住民に配慮してこなかったという主張は事実に反している。むしろ最も恩恵を受けてきたのがロシア系だったのだ。

クリミア・タタール人の政治組織メジュリスの指導者、レファト・チュバロフ

2014年にロシアがクリミアを奪いに来たとき、人口の58%はロシア系、25%がウクライナ系、13~14%がクリミア・タタール人で構成されていた。ソ連から独立した後のクリミアでは、ようやくクリミア・タタール語やウクライナ語で教える教育機関も開校したが、その人口比で考えると十分ではなかった。

チュバロフはこれらの点も指摘したうえで、次のように話す。

「ですから、ウクライナ系やクリミア・タタール人こそが『キーウはクリミアに関心を払ってこなかった』と批判することができるのです」

すべてがロシアのナラティブとは逆であるというのだ。

私利私欲にかられた裏切り

それではロシアが併合する前のクリミア経済はどのような状態に置かれていたのか。多くのロシア系住民はウクライナ政府が投資を促進してこなかったことから、現地で不満が広がり、それがロシアにつけいる隙を与えたと批判している。

「キーウの中央政府は他の地域と同じくらいクリミアにも投資してきました」

チュバロフは再度、ロシア系住民の主張に真っ向から反論する。

「クリミアではインフラにしても道路にしても投資されてきました」

それならば、ロシアに併合される直前のクリミアはどのような問題を抱えていたのだろうか。

「最も重要な点は、当時、クリミアを支配していた者たちが今もクリミアを支配しているということです」

例えば2014年3月、クリミア自治共和国議会の議長を務めていたウラジーミル・コンスタンチノフはこんな人物だったという。

「コンスタンチノフは最も多くの公共資金を使い込んでいた一人でした。だからロシアがクリミアを占拠する直前には、多額の負債を抱えていました。そして負債を帳消しにしたいために、ロシアへと寝返ったのです。私はクリミアで彼のような人間を何人も知っています。彼らはキーウの中央政府から全てを与えられ、とても満足していたはずだったのです」

こう語るチュバロフの説明が正しいとすれば、ロシアのナラティブの不正確さが浮き彫りになってくる。当時のクリミアでは、すでに特権を享受していた有力者たちが私利私欲にかられた末に、自国を裏切り、ロシアによる併合に賛同したというのだ。

そこには正義も大義もなかった。自分の身の上だけを案じ、簡単に国を裏切り、私腹を肥やしていた有力者たちの姿がある。一方的な併合から5年を控え、彼らは盗人猛々しく、いまだに「クリミアの正義」を口にしていたのだ。これがクリミアで勝者たちが一方的に掲げ、我々に認めさせようとした「真実」の裏にある光景のようだ。

情報機関員がそこにいる

繰り返しになるが、私がチュバロフの話を聞いたのはクリミア出張を終え、首都キーウに戻ってからだ。そこでは、常に私と取材先の会話を聞いていた現地助手の監視の目は行き届いていなかった。

またチュバロフ自身はこの時点で最高会議議員を務めていたし、長年、クリミア・タタール人組織の指導者でもあった。自分の意見を述べ、社会の不正をただすことを恐れていなかった。

だがクリミアに住む多くの人たちは正反対の環境に置かれている。彼らは周りの目や密告を恐れ、ロシアによる併合が間違っていると思っていたとしても、本心を明かせなかった。今のクリミアで十分な経済的な恩恵も受けていない。何よりも常におびえて暮らす生活に嫌気が差していたと思われる。

このような実態は、クリミア東部のケルチを訪れ、通行人の女性に話を聞いた時に浮かび上がってきたのだ。

あたかもドラマのような取材体験だった。

ケルチでは前年5月に、クリミア半島と、対岸にあるロシア本土を結ぶ「クリミア大橋」が完成したばかりだった。そのため私は通りかかった市民に取材し、橋ができた後の効果や影響を聞こうとしていた。

「私は日本のジャーナリストです。去年に完成した橋について質問させてほしいのですが」

そう尋ねると、立ち止まった女性は一瞬、怪訝(けげん)そうな表情を見せてから、一つの要求をしてきた。

「記者だというのならば、記者証を見せてもらえないかしら」

旧ソ連圏を取材する時に、私はパスポートと共に常に記者証を持ち歩いている。即座にかざすと、この女性はこれで納得して質問に答えてくれた。

「私自身は橋を使ったことがありません。多くの人は行ったり来たりしているわ」

こう口にした直後に、女性の表情が一変した。私の近くにいた助手のナゴルニャクと、彼の知人の姿を目にしたからだ。

ケルチに住むこの知人は私服姿の刑事である。この日は別の取材を手伝ってくれるために、途中から我々に加わっていた。この女性は本能的に、私服姿の刑事から危険な臭いを嗅ぎ取ったようだ。無意識のうちに「FSB」と呼ばれるロシアの情報機関(連邦保安庁)の名称をつぶやいた。

「彼はFSBだわ。何もしゃべってはいけない」

その直後から声色を変え、まくし立ててきた。

「(クリミアの生活は)何も問題ありません。我々は全てに満足しています。物事はうまくいっています。生活は落ち着いています。食べ物だってきちんと手に入るのですから」

女性はおびえながらも、取り繕って、マシンガンのように話し始めたのだ。

明かした本心

この時点で私は旧ソ連圏を取材して通算で6年を迎えていたが、ここまで如実に当局を恐れて取り繕う例は見たことがない。

「私自身はウクライナ本土に暮らしていますが、クリミアには91歳になる母に会いに来ているんです。何にも問題を起こさずに、戻りたいんです」

女性はこう続けた。幸いにも、いつもならば、私に密着している助手が知人の刑事とおしゃべりに夢中になっていた。このチャンスを逃してはいけない。

「歩きながら、話をしませんか」

おびえている女性を誘い、一緒に歩き始めた。現地助手たちから離れた位置に来たら、女性は少し安心した様子になり、本音を口にし始めた。

「もともとはケルチの生まれなのですが、結婚してウクライナ本土に移りました。（2014年に）戦争が起きた時に、ここに居合わせたのです。それまでは一つの政府の下で生活していたから、問題はなかったのです」

そして、ちょっと前に絶賛したクリミア大橋についても批判に転じた。

「こんな橋は必要じゃありません。昔の祖国が懐かしいです」

何という変わりようなのか。

女性はロシアの支配の象徴ともいえるクリミア大橋への憎しみを隠そうとしなかった。

5年前の3月、クリミア当局は住民投票で9割の支持を得たと発表し、ロシアによる併合を要請した。わずか2日後に、プーチン政権はその要請を受け入れて、自国領への併合を高らかに宣言した。

この点についても、この女性は悲痛な胸の内を明かしている。

「ロシアによる併合には賛成できなかったから、投票には行きませんでした。今では、より強固に反対しています。53歳の私はソ連のウクライナ共和国に生まれ育ったのです。ロシアには一度たりとも住んだことはありません。どこに戻れというのでしょうか。全く理解することができません。私自身はロシア系ですが、クリミアはウクライナの土地だと思っています」

つまり自分自身がロシア系住民だからといって、ロシアへの「再併合」などはみじんも望んでいなかった。むしろ大義を掲げて、故郷をめちゃくちゃにしたロシアに怒りを禁じ得なかったのだ。

少し前までおびえていた女性だが、一度安心すると、堰(せき)を切ったように話し始めた。

「ウクライナはひどい状況です。なぜならば、国土の一部が引き抜かれてしまったからです。ここで起きていることは、全てがばかげているのです」

怒る胸の内を言葉にしていた。

まさにこの女性の言うとおりである。

全てがばかげていたが、クリミアではそれがまかり通っていた。

核大国であるロシアが力ずくで隣国の土地を奪い取ろうとした時に、欧米諸国をはじめとした国際社会は反対を唱えるだけで、この事態を止められなかった。

先に紹介したチュバロフの説明が正しければ、私利私欲にかられたクリミアの有力者たちは平然と自国を裏切ったのだ。そして、そのまま権力の座に居座り、果実を得ている。その傍らで市民生活は向上することがなく、恐怖におののく日々を強いられていた。

この女性は余すことなく怒りをぶちまけてきた。


そして最後に口にしたのが、我々から離れた場所でおしゃべりに興じている現地助手らに、これまでの会話を明かさないようにしてほしいという頼みだった。

「あなたにお願いがあります。この話を伝えないでほしいのです。多くの人たちは真実を口にしようとしないのです。なぜかと言えば、危険だからです」

女性にしてみれば、最大限の勇気を振り絞り、本心を明かしてきたのだろう。まさに心の叫びだった。苦しみや悲しみや怒りが痛いほど伝わってくる。クリミアの人たちが抱く本心の一片がにじんでいた。

勝者の語る真実

皮肉なことに、この女性が口にした「真実」とは、クリミアで権力を手にした勢力が何度も使ってきた言葉なのだ。

クリミアに着いた初日に、20代半ばの政治評論家を取材し終えた時のことだ。彼は明らかにロシア寄りの発言を続けていた。今から振り返れば、現地助手のナゴルニャクがアレンジした取材だから、そのこと自体は驚くべきではない。そして取材の最後に、にやりと笑い、次のように言い放った。

「西側の記者たちの取材に応じるのですが、彼らは私の発言を違う趣旨で書くことが多いのですからね」

似たような趣旨のことはシンフェロポリ市議会議長のビクトル・アギエフを取材した後にも言われた。

「ぜひ真実を書いてほしいのです。あなたが見たままの、話を聞いたままのクリミアを書いてほしいと思っています」

そう言った後で、助手のナゴルニャクに促されると、アギエフは私と握手して記念撮影に収まった。ロシアによる併合から5年を控え、日本のジャーナリストが取材に来たことを宣伝材料に使うつもりなのだろう。

彼らの発言には明確な意図があったと思う。

あなたは相づちを打ちながら、我々の話を聞いた振りをしているが、どうせ自分たちに都合のいい記事を書くのでしょう。それが西側の記者のなりわいですからね。

こう言いたかったのではないだろうか。

彼らは知っていた。自分たちが掲げる「正義」や「真実」が西側では共有されないことを。もはやロシアと西側諸国の間には埋めがたい溝が横たわっているのだ。

彼らはウクライナから奪い取ったクリミアを返す気などは毛頭ない。この先も勝者であり続け、自分たちに都合良く書き換えた「真実」を訴え続けるのだろう。たとえ西側諸国で共有されなくても。

この時期のシンフェロポリでは曇り空がどこまでも広がっている。私の心の中にも、どんよりとした暗い思いが充満していた。

オデッサに司令部を移したウクライナ海軍

第3章 要塞と化した半島

2019年3月
@クリミア

ロシア支配の象徴

2019年3月、クリミア東端のケルチを訪れた私は、現地助手が運転する車に乗り、クリミア大橋を渡っていた。振動が小さく、目をつぶっていると橋の上を走行しているような感覚はない。想像していた以上にスムーズだ。

窓からは、右手に霧がかかった黒海が見える。反対側に視線を移すと、内海のアゾフ海がうっすらと目に入ってくる。視界は悪かったが、車は黒海とアゾフ海を隔てるケルチ海峡を横断しているのがわかった。

2014年にクリミアを一方的に併合したロシアは、現地と自国をつなぐライフラインとして、全長18キロのクリミア大橋の建設に取り組んだ。2018年5月に車道が完工し、開通式では大統領のプーチン自らトラックのハンドルを握り、橋を渡るパフォーマンスを披露した。2019年3月の時点で橋を利用した車は半年で350万台と説明されており、並行して建設されていた鉄道橋もこの9カ月後に開通した。これまでクリミアから他の地域へと出るためには、北側のヘルソン州経由が唯一の陸続きのルートだったが、新たな経路が誕生した。

1年前までフェリーで渡航しなければならなかった海峡だが、今では車に乗ると、20分もかからずに渡れてしまう。プーチン政権が本土と結び、クリミアのロシア化を進める意欲がひしひしと伝わってくる。

余談になるが、2022年にロシアがウクライナへの全面侵攻を始めると、この年の秋にクリミア大橋で大規模な爆発が発生した。ロシアはウクライナ特務機関によるテロ工作だと糾弾しているが、真相は解明されていない。いずれにしろクリミア大橋が国際社会に広く存在を知られるようになったのが、爆発事案だったことは皮肉に思えてならない。

クリミア大橋

航行の妨害となり

ロシアにとってクリミア大橋は本土とクリミアをつなぐライフラインだが、ウクライナ本土から眺めると、全く別の存在として見えてくる。無数の橋脚が建てられた結果、以前よりもケルチ海峡の航行が難しくなったからだ。最も高い地点でも水面から橋まで35メートルに過ぎず、大型船は航行できなくなってしまった。

さらに橋を完成させた後のロシアは、アゾフ海を封じ込めるかのような動きに乗り出した。ウクライナのシンクタンク「マイダン外交」によると、ロシア国境警備隊は橋の完成と前後して、2018年5月半ばから、アゾフ海に出入りする商船を対象に臨検（立ち入り検査）を開始。この年の7月末までの2カ月半で、アゾフ海の公海に当たる海域だけでも、85件の臨検が確認された[1]。

ウクライナ側も無策だったわけではない。2018年9月には陸路を使い、哨戒船2隻をアゾフ海沿岸に運び、海域での監視活動を始め、ロシアに対抗した。逆に緊張が高まり、11月に入ると、ロシアが武力行使する事態に発展した。

11月25日、ウクライナ軍の艦船が黒海からケルチ海峡の通過を試みると、ロシアは通過させなかっただけではない。引き返したウクライナ艦船を追いかけて銃撃に及び、乗組員24人を拘束した。その際には数人のウクライナ兵を負傷させた。

力をむき出しにしたロシアの行動に対し、欧米諸国はこぞって批判した。ロシアに好意的だった米大統領のドナルド・トランプですら、直後に予定していたプーチンとの会談を取りやめ、ロシアの行動を批判した。

その後、拿捕（だほ）されたウクライナ艦船の乗組員は長期にわたり拘束される。ようやく翌年9月にウクライナが捕らえていた親露派武装勢力の構成員らと交換が成立し、解放に至った。

力をむき出しにしたロシアの姿勢からは何が読み取れるのだろうか。

「ロシアはアゾフ海を自国の内海とみなしています」

ロシアの軍事評論家パベル・フェリゲンガウエルはそう分析していた。アゾフ海の北東端にあるロシアの都市アゾフからケルチまでは水深が浅い水路が続く。ロシアが２０１５年から続けているシリアへの攻撃では、この水路を航行した艦船からも巡航ミサイルが発射されてきた。このような軍事面の重要性から、ロシアは周辺でのウクライナ船舶の行動を制限しようとしてきた模様だ。

空母となったクリミア

アゾフ海や黒海周辺に展開するロシア軍の拠点は、いわずもがなクリミア半島である。

「２０１４年に比べると、ロシア軍の人員は３倍にまで増やされています。私は今のクリミアが空母のようになったと考えています」

２０１９年３月、かつてウクライナ海軍司令官を務めたセルゲイ・ガイドゥクは、クリミアの状況をこう表した。現地に配備された軍用機は１００機以上、潜水艦は7隻に及び、潜水艦搭載型の巡航ミサイルや大型艦船も配備されている。将来的にロシアが射程の短い戦術核を配備する可能性も否定できないという。

その狙いはどこにあるのか。

ガイドゥクはこの3年前までウクライナ海軍でトップに立っていた人物である。ウクライナ

ウクライナ海軍の元司令官セルゲイ・ガイドゥク

人にしては小柄だが、厳しい表情をみせながら、ロシアの狙いに踏み込んだ。

「きちんとした目的がないのに、ロシアがクリミアに強力な部隊を投入するということはあり得ません。クリミアに駐在する部隊には戦力の運用や戦略レベルの任務が与えられており、西部方面で軍事行動に出るのかもしれません」

つまりクリミアからウクライナ南部を封じ込める行動に出るかもしれないという見立てだ。

クリミアを占拠したロシアは明らかに黒海周辺地域への圧力を強めている。先の章で紹介したクリミア・タタール人の政治組織メジュリスの指導者、レファト・チュバロフは次のように表現してみせる。

「今のロシアがクリミアで何に投資しているのかご存じですか？　大部分の投資は軍事のインフラであり、関連施設につぎ込まれているのです。ロシアは（クリミアに）巨大な要塞を築こうとしています」

ロシアが配備した最新性のミサイルがブルガリア、ルーマニア、トルコという北大西洋条約機構（ＮＡＴＯ）の東域にある国々を脅かしているとも指摘する。

「ロシアは黒海とアゾフ海で急速に軍事力を強化しています。そして黒海を自らの内海にしようとしているのです」

すでに2019年春の時点で、このように懸念されていたのだ。そして3年後に懸念が現実となり、クリミアを拠点としたロシア軍がウクライナ南部に大規模な攻撃を仕掛けてきた。ロシアが黒海を封じ込め、一時的にウクライナからの穀物輸出が滞った結果、世界的な食料価格の高騰を招いたことは記憶に新しい。

瓦解したウクライナ海軍

先ほど登場したガイドゥクは悲劇の将といえる。2014年にウクライナ海軍と彼の身に起きたことを紹介しよう。

2014年2月、ヤヌコビッチ政権が崩壊し、親欧米派の暫定政権が発足したことに対し、ロシアは脅威を覚えただけではない。長年、虎視眈々と狙っていたクリミアを制圧する好機であると判断したのは間違いない。

2月末に覆面部隊がクリミアの重要インフラを次々と占拠し始めた。直後の3月1日、ウクライナ海軍の暫定司令官だったセルゲイ・エリセーエフは、ウクライナ軍への忠誠を捨てて、ロシア軍に投降した。後任の司令官もすぐに自国を裏切ったことから、新たに海軍トップに就いたのがガイドゥクだった。

だがロシアの攻勢は止められない。プーチン政権がクリミアを自国に編入すると宣言すると、親露派武装勢力がクリミア南西部のセバストポリにあるウクライナ海軍の司令部に押し入り、新任の司令官ガイドゥクらを一時的に拘束した。同地に駐留していた17隻のウクライナ艦船も押収されてしまう。

一連の出来事では、ウクライナ海軍の40人近くが自国を裏切った。2022年2月に始まったロシアの全面侵攻の際には、ウクライナ軍は高い士気を誇示し、各地で善戦している。だが8年前のクリミアでは、海軍のモラルは地に落ち、幹部が率先して国を見捨てたのだ。

ロシアは押収したウクライナ艦船を返還すると約束したが、その後にウクライナ東部での戦闘が本格化したことを理由に、約束を履行していない。そしてクリミアを占拠された後、ウクライナ海軍は司令部をセバストポリから南部オデッサに移したが、一度に多くの艦船を失ったこともあり、本格的に再建できていない。

敗軍の将が語る

ウクライナ海軍が瓦解するさなか、最高司令官の役を担ったのがガイドゥクだ。2014年のウクライナ海軍に何が起きたのかを尋ねてみた。

「軍人の立場からは話せません。私は2014年に何が起きたのかという点から、クリミアを見ようとは思いません。むしろ、なぜ、あのような事態に至ったのかを分析してみます」

このように前置きしてから、ガイドゥクは話し始めた。ウクライナが独立した直後から、ロシアはクリミアにおいてロシア系住民をあおるような情報戦を始め、自国内でもクリミアを併合すべきだとのプロパガンダを唱え始めたと指摘する。

ソ連崩壊後の各地にはロシア系やロシア語を第1言語とする人々が取り残された。「ルースキーミール」（ロシアの世界）と呼ばれる思想が生まれ、ロシアとの文化的なつながりを維持するべきだと唱えられた。

それはやがて政治的な色合いを濃くしていき、ロシア本国と取り残された人々のつながりを重視するようになった。プーチン政権も2000年代半ばころから、このイデオロギーを本格的に取り込んだとみられる。ロシア系とロシア語を第1言語とする人たちが多く住む地域を自国の影響圏に組み込むだけでなく、あわよくば統合しようとする姿勢をあらわにしていた。まさにクリミアで起きた事象を体現する思想である。

ルースキーミールでは、ソ連全域の再統合を望んでいるわけではない。あくまでもロシア系やロシア語を第1言語とする住民が多く住んでいる地に狙いを定めた。だから人種的に異なる中央アジア諸国やコーカサスの国々との再統合などには関心がない。

「我々が再統合するべきだと思っているのは、多くのロシア人が住むウクライナ東部や南部であり、ベラルーシなのです。中央アジアやカフカスの国などは必要ありません」

クリミアで私の取材をサポートしてくれたキリル・ナゴリャクも、ルースキーミールの信奉者であるから、このような考えを臆さず口にする。

すり込まれた「ロシアの世界」

ソ連崩壊後のクリミアは、このプロパガンダがすり込まれる主戦場になった。ガイドゥクはそう唱える。

「(ウクライナ領になった後でも)クリミアではロシア語が偏重されていました。(ロシア語のメディアを通じ)意図的にロシア寄りの情報が流されたことから、多くの人がロシアに忠誠心を抱くようになったのです。高齢者が多かったこともあり、早い段階からソ連へのノスタルジーも広がりました。ルースキーミールを信奉する雰囲気が醸成されて、段階的にロシアのイデオロギーが植え付けられたのです」

ロシアは時間をかけながら、クリミアで「ロシアの世界」のイデオロギーを唱え続け、運命の2014年を迎えた。ガイドゥクはそう語る。

「2014年に起きたことは、占領を決定づける最終段階に過ぎませんでした。クリミアではロシアによる占拠を許してしまうような環境が整えられてから、軍事的な段階に移ったのです。この年にロシアが取った行動を見れば、良く管理されており、綿密に計画されて、系統立っていたことがわかるでしょう」

クリミアに近いロシアの南部軍管区から幹部が送り込まれ、その中には2度にわたるチェチェン紛争や2008年に起きたグルジア紛争に従軍した経験者も多かったという。さらにプーチンの側近やロシア下院の幹部も現地入りして、ロシアへの編入を決める住民投票までの流れが整えられた。ガイドゥクはこう指摘する。

つまり2014年2月から3月にかけての段階で、すでにクリミアは王手をかけられていたのだ。ゲーム・イズ・オーバー。どんなにウクライナ側が抗おうとしたところで、巧妙に準備されてきたクリミア併合は激流のように進んでいった。

「なぜウクライナの指導者は対抗してこなかったのか。もしくは、ひどく鈍い対応しかできなかったのか。これらの点をもう一度分析しなければ、クリミアで何が起きたのかはわからないと思うのです」

ここまで話すと、ガイドゥクは語るのをやめた。ついに敗軍の将が兵を語ることはなかった。この点では退役しても、あくまでも軍人のプライドにこだわり続けていた。

ガイドゥクの発言に関連して留意しておくべき点もある。クリミア併合が起こる二十数年前まで、ロシア海軍とウクライナ海軍は、ソ連海軍として同じ釜の飯を食べていた。ソ連が崩壊するとセバストポリを拠点とする黒海艦隊をどのように分割するのかでもめたし、ロシアが艦隊の共同使用と管理を申し出た時期もあった。最終的には艦隊についてロシアに8割、ウクライナに2割で分割することで合意し、セバストポリの軍港は期限付きでロシアに貸し出すことで決着していた。

特にセバストポリはソ連の中央の直轄都市だったこともあり、ソ連時代もウクライナ共和国に管轄された歴史を持たなかった。ソ連の崩壊直後は、ウクライナ国民となった黒海艦隊の水兵たちにロシア軍から給与が支払われていた時期もあったという[2]。

このような経緯があるから、ソ連崩壊から20年あまりがたちながらも、住民たちが親露感情を抱いていたとしても、必ずしも100%がロシアによる情報工作の結果だとは言い切れないのだ。

またガイドゥクの前任者2人は、ウクライナ海軍司令官でありながら、いとも簡単にロシアに寝返った。確かに彼らは忠誠心の薄い軍人だったといえる。一方で二十数年前まではソ連海軍の水兵だった事実も無視できない。彼らにしてみれば、心の奥底で帰属していたのは在りし日のソ連海軍であり、独立後のウクライナ海軍は仮の住まいだったとも推測できる。だからこそ、いとも簡単に自国の軍服を脱ぎ捨てられたのかもしれない。

準備されていた併合劇

ロシアは２０１４年以前からクリミアの占拠と併合を狙っていた。別のウクライナ政府の関係者も似たような指摘をする。

ここでもう一度、この時期に起きたことを簡単に振り返ろう。

2月18日から20日までのキーウでは、政府の治安部隊が抗議運動の参加者に発砲し、１００人以上の死者を出した。

2月21日、事態を重く見た大統領のヤヌコビッチは、野党指導者と協議し、大統領選の前倒しに同意するなど、大幅に譲歩した。

2月22日、合意から一夜明けると、ヤヌコビッチがすでに首都から脱出したことが判明し、政権が崩壊した。翌日には親欧米派が中心となる暫定政権が発足した。

2月26日、クリミア自治共和国の議会前でロシア系とクリミア・タタール人のデモ隊が衝突し、死者も出た。

2月27日、後にロシア兵と判明する覆面部隊がクリミアの議会や政府庁舎を占拠した。

3月18日、クリミアの住民投票の結果を踏まえ、プーチンが編入の意向を表明した。

以上の経過の中で、ロシアやクリミアのロシア人勢力は、2月21日に当時の野党勢力がヤヌコビッチと政治的な合意を結んでおきながらも、政権を転覆させたと唱える。その対抗策として、クリミアがロシアへと編入されていく動きを正当化するのだ。

ウクライナのクリミア奪還政策担当相アレクサンドル・レフチェンコ

アレクサンドル・レフチェンコはウクライナ政府でクリミア奪還政策の担当相を担う。ロシアの主張に真っ向から反論するのだが、その根拠として次のように語る。

「クリミアでの功績を表彰されたロシア兵に授与されたメダルには『2月20日から3月18日』という日付が刻まれていました。2月20日とは、まだヤヌコビッチが権力を握り、キーウで多くの抗議運動の参加者が殺害されていた時でした。つまりキーウで起きていたことは、クレムリン（ロシアの政権）にとって政治的な利益になる出来事だったのです」

キーウで抗議運動の参加者が発砲されたことも、一度は野党指導者と合意したはずのヤヌコビッチが逃亡したことも、そして1週間後に始まったクリミアへの侵略も、全てはロシアが陰で糸を引いていた。レフチェンコはそう主張する。

「私は2006年から07年にかけて、クリミアで大統領の副代表を務めていました。06年の段階でクレムリンがクリミアを武力占領し、帰属を変えようと決意していたシグナルを感じ取っていました。そのプロセスは10年ぐらい続いたのです」

その過程でロシアが駆使したのは、ロシア語の情報発信と軍事の両方を柱としたハイブリッドの戦争だった。ロシア語の情報発信は「ウクライナにとっての脅威」として警戒されなければならなかったはずだが、規制もされずに野放しにされた。そしてウクライナで政変が起きると、多くのクリミアの住民は「ファシストたちがキーウで権力を掌握した」というプロパガンダを信じてしまった。

レフチェンコはこのように指摘する。

謎の覆面部隊がクリミアの議会を占拠すると、レフチェンコは「これがロシアの手法であるとすぐに気がつきました」と打ち明ける。

シンフェロポリの空港を占拠し、議会に押し入った部隊は所属を表す記章を外していた。これはソ連が1950年に朝鮮戦争に非正規部隊を送り込む際に使った手法であり、その後も引き継がれてきたという。議会を占拠した部隊の行動を見るだけで、ロシアがクリミアを占拠しようとする意図が明確に見えてきた、とレフチェンコは話す。

恥ずべきは自国の大統領

レフチェンコは2014年当時、クロアチアに駐在する大使だった。地元のテレビ番組に出演した際に次のように警告したという。

「これまで私たちが知っていたプーチンやロシアに関するイメージを捨て去るべきです。我々は国際政治で完全に新しい状況に置かれたのです。シンフェロポリで起きていることを止めるために、我々は力を合わせなければなりません。断固とした措置を取らなければ、我々は困難な状況に追い込まれてしまいます」

しかし発足したばかりのウクライナの暫定政権はロシアの侵略に断固とした対応を取れなかった。また国際社会も腰を上げずに、ロシアが力ずくでクリミアを奪う行動を止められなかった。

「当時のロシアの国防予算はウクライナの43倍にも上りました。このような状況でウクライナ軍はロシアの侵略に対抗できなかったのです。さらにヤヌコビッチが逃亡したこともあり、軍の一部は混乱し、迷走していました。結果として、軍事的な衝突を避ける決断をせざるを得なかったのです」

クリミア担当相のレフチェンコは悔しさをかみしめながら、ロシアに対抗できなかった5年前を振り返った。

私がレフチェンコにインタビューしたのは2019年2月下旬だった。古びた政府庁舎で彼の話を聞きながら、ある思いが脳裏をよぎった。5年前に政権を投げ出し、ロシアに逃げ出したヤヌコビッチについて、どう思っているのか。早速この点を尋ねてみると、レフチェンコは数秒の間、私を見つめてから、答えを返してきた。

「我々の大統領が国から逃げ出したことについて語るのは難しいです。恥ずべきことでもあります。もちろん、そんな大統領を選んだつもりはなかったのですが、我々にも責任の一端があります。大統領が国から逃げ出してしまうなんて、そんなに起きないことなのですから」

レフチェンコは自嘲（じちょう）気味に話をまとめた。

確かに外交官にしてみれば、やるせなくなるだろう。汚職の限りを尽くしたといわれるヤヌコビッチは国内を混乱させただけではなく、全てを投げ出し隣国に逃げ込んだ。結果として、この逃亡行為がロシアの軍事介入を招く形になり、ウクライナはクリミアを実質的に失う。さらに翌月にはウクライナ東部でもロシアの介入が始まり、その後の混乱が続いている。

全ての原因がヤヌコビッチにあるとまではいわない。それでも、この元ウクライナ大統領が元凶であることは否定のしようがない。

全てロシアが仕組んだのか

ここで考えたいのは、2014年2月に起きたことが全て一本の線でつながっていたのか、ということだ。

キーウでヤヌコビッチ政権への抗議運動が続くさなか、治安当局がデモ隊に発砲する。その直後に政治的な妥協案を呑んでいながらも、ヤヌコビッチは政権を放り出し、逃げ出した。そして翌週にはロシア軍がクリミアの議会を占拠し、併合への道筋をつけていく。これはレフチェンコが主張するように、ロシアが計画して、一寸の狂いもなく、進んでいったシナリオなのだろうか。

ロシアが長い時間をかけて、クリミアを奪還する計画を練り、そのチャンスをうかがっていた点は間違いないだろう。そうでなければ、ヤヌコビッチ政権が崩壊した5日後に、覆面部隊がクリミアの重要インフラを占拠できるはずがない。

最も大切な隣国であるウクライナで親露派政権が崩壊し、暫定政権が欧米に近づく姿勢を見せていたから、この危機を看過できなかった点は疑いの余地がない。

プーチン政権は危機を好機に変えようと試みた。この機会を利用して、以前から温めていたクリミアの占拠計画にゴーサインを出したとみていいだろう。いったん決断を下すと、それに伴うリスクも辞さなかった。ちゅうちょせずに、決めた道を進んだ点では、プーチンはぶれなかった。

ロシア系の主張

ここでロシア軍部隊がクリミアの議会を占拠する前日に起きた、ロシア系住民とクリミア・タタール人の衝突に触れると共に、当事者の証言を紹介したい。

ヤヌコビッチ政権の崩壊から4日後の2月26日、クリミア議会の議長コンスタンチノフが議会を招集した。だが親露派議員を推すロシア系住民と、親欧米派議員を支援するクリミア・タタール人らが共にデモに繰り出し、議会前で衝突に発展した。

コサックは15世紀ごろに登場したウクライナやロシア版の侍といえる。コサックの集団の指導者は「アタマン」（ヘトマン）と呼ばれてきた。自らを「アタマン」と呼ぶコサックの子孫の男性は、ロシア系の一団に加わり、クリミア・タタール人たちとの衝突の最前線に立ったという。

両グループは議会前に集まると、にらみ合いを始め、やがて押し合いに発展した後に、タタール人たちが鉄棒や瓶などを取り出して殴りつけてきた。「アタマン」は次のように話す。

「彼らはポケットから白い粉を取り出し、口に含んで5～10分くらいかんでいました。そうすると、ゾンビみたいになっていくのです。間違いなく薬物を服用したのだと思います。訓練を積んでいない集団は、このように統制が取れた行動を取ることはできません。長い時間をかけて、準備されていました。そして特定の指導者に率いられた集団でした」

「アタマン」の話では、ロシア系とクリミア・タタール人やウクライナ系との衝突は、午前9時ごろから午後6時ごろまで断続的に続いたそうだ。その際にロシア系は武器となるような物を手にせず、あくまでも素手で対抗したと説明する。衝突の結果、ロシア系住民の2人が命を落とした。

「アタマン」の主張では、クリミア・タタール人やウクライナ系のグループこそが周到に準備して攻撃を仕掛けてきたという。結果として、この日の衝突がロシア部隊による議会の占拠を招く形になった。

ただしクリミア・タタール人やウクライナ系住民が薬物を服用していたという話は信じがたい。このようなエピソードはクリミア・タタール人の非をあげつらう狙いで、脚色されたと思えてならない。

クリミア・タタール人と衝突したロシア系住民の「アタマン」

プランBを実行か

ウクライナのクリミア担当相のレフチェンコは、全てがロシアの描いたシナリオに沿って進んだと主張する。一方で「アタマン」は、キーウの暫定政権を支持していたクリミア・タタール人たちこそが周到に計画し、ロシア系と衝突したと説いている。

どちらかの主張が正しいというのではなく、どちらにも自らを正当化するスピン（偏った表現）が盛り込まれていると思えてくる。たとえばキーウで治安部隊が抗議運動の参加者に発砲したのもロシアが描いたシナリオといえるのか。そして一度は野党と妥結したはずのヤヌコビッチが国から逃げ出したのもロシアの指示に従ったものだったのか。

少なくともこの2点は、ロシアにとって想定外の出来事だったのではないだろうか。この時期のロシアは自国南部のソチで冬季五輪を開催しているさなかだった。プーチン自身が2007年に国際オリンピック委員会の総会に出席し、プレゼンテーションまでこなして、開催にこぎ着けた経緯もある。大会を成功裏に終わらせることは、プーチン政権にとって至上命令だった。

ソチ五輪は2月23日の閉幕を控え、最終盤にさしかかっていたころだ。ロシアが隣国ウクライナの治安部隊に指示を出して、抗議運動の参加者に発砲させるだろうか。そもそもウクライナの治安部隊がロシアの指示に従うだろうか。

また五輪が閉幕する直前に、隣国の大統領に逃亡を命じられるだろうか。そしてヤヌコビッチ自身がロシアの指示に従い、巨額の財産の多くを置いて国を逃げ出すだろうか。

何よりも一連の出来事は佳境を迎えていたソチ五輪に水を差して、プーチン政権の顔に泥を塗った。その点を考慮すると、ロシア自身が自国で五輪を開催していたさなかに、隣国で混乱を引き起こしたとは考えにくい。

むしろロシアにとっても想定外の出来事が相次いだが、混乱のさなかで長年温めていたプランを持ち出した。その後は迷うこともなくクリミアの占拠に踏み切ったと見立てるのが妥当ではないだろうか。

クリミアの占拠から併合は全てが計画通りに進められた「プランA」ではなかったはずだ。ロシアは想定外の事態に直面しながらも、以前から練っていた「プランB」を実行に移した。何度か考えてみたが、そう結論づけるのが一番腑に落ちる。

ウクライナ全土を視野に入れていた

この章のまとめに入りたい。

クリミアを占拠したロシアは現地の軍事力を飛躍的に増強させて、2019年の段階で「要塞」とまで呼ばれるレベルまでに近づけていた。

その過程では、ケルチ海峡を渡るクリミア大橋を完成させ、ウクライナの軍や民間の船舶を封じ込める動きを強めていた。また海峡を航行しようとしたウクライナの艦船を拿捕するなど、力ずくの行動も辞さなくなっていた。

ロシア軍は2022年の全面侵攻に向けて、随所で予兆とも思える行動を取っていたのだ。

クリミアで軍事力を増強させたロシアは、緊張の度合いを一段ずつ上げていた。ロシアが次のターゲットとして、南部にとどまらず、ウクライナ全土の占拠を狙っていたとしても何の不思議もない。

初期のプーチン政権で経済顧問を務めたアンドレイ・イラリオノフは２０１６年秋の段階で、プーチンがクリミアやドンバス地方（ドネツクとルガンスク両州一帯）にとどまらず、ウクライナ全体を政治的にコントロールするシナリオを練り続けていたと指摘していた。私の同僚、真野森作とのインタビューに答え、次のように語っている[3]。

「プーチンは非常に賢く、長期戦略を持った政治家の一人だ。クリミア編入など対ウクライナ戦略についても10年以上前から構想し、チャンスを待っていた」「彼はソ連復活などということは考えていない。彼は『ルースキーミール』と呼ばれるものを復興させようとしている。現在のロシアの国境線を膨張させる考えだろう」

プーチンの元側近は、ロシア大統領がウクライナ本土への侵攻を想定し、準備していたと指摘する。クリミアでも軍靴の音がどんどんと高まり、戦争へ向けて進んでいたことを裏付けるかのような分析だ。

不気味な予言

クリミアでは不気味な予言をしていた市民にも出会っていた。シンフェロポリの主婦エレーナ（27）は、私に帯同していた助手の存在などお構いなしに、ズケズケと政権批判を口にする女性だ。

「併合されてから5年間で（いい方向に）変わったとはいえません。物価や税金は上がっているし、仕事もつらいし、生活も厳しいのです。汚職も無くなっていません。5年前の住民投票には私だって、夫だって投票していません。2月27日に起きたこと（ロシア部隊による議会占拠）は間違っていました」

こう語ったうえで、プーチン批判も辞さなかった。

「プーチンは多くの約束をするけれども、それを実行しないのだから（約束を）取り下げるべきです。彼は座っているだけで何もしないのだから、（モスクワ市長の）ソビャーニンのような若手政治家に替えるべきです」

そのうえで核心に迫ってみせた。

「プーチンが関心を持っているのは戦争を進めることだけなのです」

「戦争を進めることだけなのです」

２０２３年の今、この言葉を読み返すと、身震いをしてしまう。エレーナは日々の生活を送りながら、力ずくでロシアに帰属を変更させられたクリミアが、来たるべき戦争の基地となっていくことを感じ取っていたのだろうか。彼女の真意は不明だが、結果的に3年後に始まる全面的な戦争の予言となっていた。

この時点からプーチンが一直線に全面侵攻へと進んでいったわけではない。当然ながら紆余(うよ)

曲折(きょくせつ)を経て、２０２２年2月24日の決断へと踏み切ったといえる。

それでも3年前の時点でプーチンがさまざまな選択肢を考えながら、全面戦争の準備を進めていった点は否定できない。「２０１９年のクリミア」と「２０２２年のウクライナ」はしっかりとした線でつながっていたのだ。

2019年6月の会談後に記者発表に臨む安倍晋三とウラジーミル・プーチン

第4章

北方領土とクリミア

2019年3月
@クリミア

二島返還にかじを切る

２０１９年3月、クリミア南西部にある保養地のヤルタは大人でもふらつくほどの強風が吹いていた。街中から数キロの地点にあるリバディア宮殿は、日本にとって因縁浅からぬ地である。帝政ロシア最後の皇帝ニコライ2世が建てた離宮では１９４５年2月、米ソ英の3カ国首脳が顔をそろえた「ヤルタ会談」が開かれたからだ。

戦後の国際秩序を決めた会談で、ソ連は米国と英国に対し、対日戦線への参戦を約束した。その報酬として、現在の北方領土を含む千島列島（ロシア語でクリル諸島）を自国領に組み込む同意を取り付けた。このときの密約が北方領土問題として残されて、日本の前に立ちふさがってきた。

私が訪れた時は、ヤルタ会談から74年の月日が過ぎていた。しかし皮肉なことに舞台となったクリミア（ロシア語でクリム）をはじめとして、ウクライナ国内では北方領土問題への関心が高まっていた。なぜならば、この年の1月に当時の首相、安倍晋三がロシアを訪れ、日露の平和条約交渉が本格化していたからだ。

２０１２年に首相に復帰した安倍は、ロシアとの平和条約締結に向けて、前のめりの姿勢を取り続けた。歴史に名を残すことを狙い、第二次大戦後に残された課題の解決に挑んだのではないか。安倍の動機を巡ってはそのようにも推測されてきた。

同時に北東アジアの情勢が不透明になる中、安倍はロシアとの関係を改善して、安全保障環境を改善しようとする意図を持っていたのは間違いない。

70年近く自国領としてきた北方領土について、ロシアは容易に引き渡そうとしなかった。日露の交渉が袋小路に陥る歴史を繰り返した末に、２０１８年の安倍はコペルニクス的な大転回に踏み出した。

ヤルタ会談が催されたリバディア宮殿

それまでの日本の対露外交では北方四島の帰属を確認できれば、四島の返還方法や返還時期について柔軟に対応するとの立場を取ってきた。安倍はその大原則をいとも簡単に覆したのだ。

１９５６年に結ばれた日ソ共同宣言には「平和条約を結んだ後に、歯舞(はぼまい)群島と色丹(しこたん)島を引き渡す」と明記されている。一方で１９９３年に採択した東京宣言では、北方四島の帰属を確認して、その問題を解決するとの文言が盛り込まれている。プーチン政権は後者の東京宣言の存在を忌み嫌い、長い間、日ソ共同宣言に基づき、平和条約問題を解決するべきだと主張してきた。

安倍はプーチンの主張を取り込むことにより、平和条約交渉を大きく前進させようと試みた。平たく言えば、東京宣言に盛り込まれている「四島の帰属確認」という原則を捨て去り、日ソ共同宣言に書かれていた「二島返還」による解決へとかじを切ったのだ。

2018年11月、安倍とプーチンは、日ソ共同宣言に基づき、平和条約交渉を加速させることで一致した。そして、翌年1月から本格的な平和条約交渉に乗り出した。

まずは条約交渉の責任者となった外相、河野太郎が1月14日、モスクワを訪れ、外相会談に臨んだ。その翌週には安倍自身がモスクワを訪れ、プーチンと会談したのだが、トップシークレットとされた交渉内容はベールに包まれたままだった。

なぜ島を取り返したいのか

2019年2月下旬からウクライナを訪れていた私は、行く先々で「クリルの交渉が始まったね。どう思っている?」と尋ねられた。善意で解釈すれば「我々もロシアとの領土問題を抱えている。お互いにがんばろう」というエールに受け取れる。

だがウクライナの人たちが善意にあふれていたわけではない。

そのような言葉の裏側には「どうせロシアが日本に島を返すわけがないだろう」という冷笑が含まれていたといえる。そうなのだ。ウクライナの人たちも、対露交渉の難しさについて身をもって知っているからこそ、日露の交渉を楽観していなかった。

クリミアで臨時の助手を務めていたキリル・ナゴルニャクは、地元政府で広報を担当している。例に漏れず、ナゴルニャクも平和条約交渉について尋ねてきた。

「そもそもクリルには、どれくらいの日本人が残っているのですか？」

まずは素朴な疑問から始まった。

「一人もいません。ソ連が第二次大戦の後で全ての日本人を追い出してしまったからです」

私がこう即答すると、ナゴルニャクは一瞬言葉に詰まった。そして不思議そうに問い返してきた。

「もう一人も住んでいないのに、どうして日本は島を返してほしいのですか？」

なぜ彼はこのような質問を発したのか？

ソ連が1991年に崩壊してクリミアがウクライナ領になると、人口の6～7割を占める現地のロシア系住民は強く反発し、「本国への復帰」を訴えた。ロシア国内の愛国主義的な勢力もクリミア半島に多くの同胞が残されたと考え、「本国への帰還」を声高に唱えた。

そして運命の2014年3月。前月に起きたウクライナの政変が引き金となり、ロシアは力ずくでクリミアを取り戻したのだ。

ナゴルニャクはソ連崩壊直前に生まれ、独立したウクライナで育ったが、常に自分がロシア人だとの意識を持ち続けていた。クリミア半島に取り残された身として「本国への復帰」を願い続け、5年前に夢がかなった。

一方で、すでに北方領土に日本人が残されていないのに、日本政府が返還を求める理由を理解できないという。もはや同胞が一人もいないのに、なぜ、その土地を取り戻そうとするのか? 彼は私にそう問うてきたのだ。

経済的な理由なのか

「それならば日本は経済権益から返還を求めているのですか?」

ナゴルニャクは質問を変えて、尋ねてきた。

答えはノーである。もし二島返還の方針に基づき、日本が歯舞群島と色丹島を日本領に編入し直せれば、排他的経済水域（EEZ）を広げられる。だが経済的な権益はこの程度に限られていた。

当時は日露両政府が北方領土での共同経済活動を始めようと検討していたが、この計画が実現したところで「利益はたかが知れている」（ロシアの担当官）。むしろ返還が実現すれば、日本は島を引き払うロシア人に補償しなければならず、支出の方が確実に大きくなる。ナゴルニャクにはそう説明した。

それではなぜ？　再び不思議そうな表情を見せたナゴルニャクに対し、次のような説明を試みた。

「北方領土問題は日本にとって大事な内政問題なのです。そしてモラルの問題でもあります」

日本が当時のソ連と平和条約交渉を始めてから六十数年が過ぎていた。政府が北方領土返還の意義を訴え続けたことにより、すでに日本国内では「譲れない問題」となっているのだ。「ソ連が不法占拠したのだから、『法と正義』の原則に基づき引き渡してくるべきだ」。今でも大多数の日本人がこう信じて疑わない。

このような思考回路が定着した日本人にとって、北方領土とは「返還されるべき土地」である。またロシアとの２国間関係とは、常に領土問題というフィルターを通してでしか考えられなくなっていた。

私が苦労しながら、上記の点を説明すると、ナゴルニャクは納得した表情に変わった。なぜならば２０１４年にロシアに併合されるまで、クリミア問題は重要な内政問題だったからだ。自らも「本国への復帰」を唱えてきた手前、日本人の考えを理解できるというのだ。これは意外な反応だった。

一方でナゴルニャクは、ルースキーミール（ロシアの世界）と呼ばれる思想の信奉者である。

これまでも取り上げてきたが、ソ連崩壊により各地に取り残されたロシア系住民とロシア本国のつながりを強調し、ロシアの影響圏の拡大を唱えるイデオロギーだ。

当然ながらナゴルニャクはクリミアがロシアに併合されたことを歓迎してきたし、北方領土の返還に真っ向から反対している。

「どうせ日本は単独で平和条約問題について判断できないに決まっていますよ。アメリカが邪魔してくるだろうし」

そう鼻で笑ってみせた。

ロシアでは米国への嫌悪感がとどまるところをしらない。その同盟国である日本との間で平和条約を結べるのだろうか？

「無理に決まっていますよ」

ナゴルニャクはそう繰り返した。

絡み合う「クリム」と「クリル」

ロシアがクリミア（クリム）を併合したことは、北方領土（クリル）問題とも複雑に絡んできた。

2016年当時、私は日本の外交当局者から次のような発言を聞いたことがあった。

「日本にとって『クリル』は『クリム』よりも重いのです」

それはロシアがクリミア併合という国際規範を侵したにもかかわらず、日本としては北方領土問題の解決を優先しようとする姿勢の表れだった。当然ながら安倍をはじめとした官邸は対露交渉に前のめりだったのだが、当時の日本外務省にも同調する者が少なくなかった証といえる。

一方でクリミアを取り戻したことにより、愛国心を高めたロシア国民は、従来よりも北方領土（クリル）問題で譲歩しなくなっていた。

２０１９年１月に安倍がモスクワを訪れる前日には、市内で北方領土の返還に反対する集会が催された。会場で掲げられたプラカードには「我々のクリム」と書かれた横に「我々のクリル」とも記されていた。

「クリム」を取り返した今、何があっても「クリル」も手放さない。七十数年前のヤルタ会談にとどまらず、現代になっても「クリム」と「クリル」は複雑に絡み合い、日本の行く手を塞いでいた。

ずらされたゴールポスト

すでに結果は周知されているが、２０１９年の安倍の対露交渉は完全な失敗に終わった。１月に本格的な交渉に乗り出したが、ロシアからは厳しい条件を突きつけられたことが後に判明する。

しばらくしてから私がロシア外務省の関係者を取材すると、次の点が明かされた。

「二島返還」による解決を求めた日本に対し、ロシアが突き返したのは2段階の解決策だった。まずはロシアの要求を盛り込んだ平和条約を締結することを求めてきた。北方領土が第二次大戦の結果としてロシア領になったことを認め、北方領土が日本に引き渡されたとしても在日米軍が駐留しないことも確約するよう迫ってきた。

このような内容の条約を結べれば、次の段階として、ロシアは国境線の画定について話し合う準備があると伝えてきたという。つまり最初の条約では、二島の返還は保証されていなかった。

どうにかして平和条約を締結したい。その思いから、安倍はロシアが長年唱えてきた「日ソ共同宣言に基づく解決」に歩み寄り、逆提案の形を取った。ところが、その途端にロシアはゴールポストをずらすことをためらわなかった。安倍は「四島の帰属確認」の原則を切り捨てて、「二島返還」を実現しようと試みたが、ロシアは後者すらも受け入れなかったのだ。

好意的に解釈すれば、安倍の対露政策はイデオロギーにとらわれずに、実利的といえた。ただし結果から見れば、大失敗に終わっている。平和条約締結というゴールを優先するあまりに、安易に譲歩し過ぎた。結果として、四島の帰属を解決すると明記した東京宣言から大きく後退してしまい、かつて日本外交が得た果実をやすやすと手放した。

「安倍は国益を害したといえます。普通ならば外交当局が準備の交渉をしたうえで、首脳同士が最終的な交渉に臨むものなのです。ところが首脳間の信頼を信じてしまい、プーチンにだまされたのです」

このように私に話してきたのは、長年、対露交渉に携わってきた日本の外交当局者だった。安倍が２０２０年秋に退陣した直後だったが、前首相を呼び捨てにしてまで酷評した。日本の外交当局にしてみれば、安倍のロシアに対する譲歩はそれ程までに耐えがたいものだった。

途切れた対露交渉

安倍の後任となった菅義偉は首相の在任期間が1年あまりだったこともあり、北方領土問題に正面から向き合うことはなかった。また日本の外務省も安倍時代の対露姿勢を是正する好機だと捉え、随所で修正を試みた。
菅の後任となった岸田文雄も大きな違いがなかった。むしろ２０２１年10月の所信表明演説では「領土問題の解決なくして、平和条約の締結はありません」と述べるなど、より厳しく対露外交に臨む姿勢を示していた。[1]
そして２０２２年2月に始まったロシアによるウクライナへの全面侵攻を受け、岸田政権の対露外交は決定的な一歩を踏み出した。

　ロシアがウクライナに侵攻を始めた直後、米国や欧州連合（ＥＵ）は、プーチンと外相のセルゲイ・ラブロフへの制裁を発動し、対外資産を凍結することを決めた。ここまで来ると、日本政府も同調することを辞さなかった。主要７カ国（Ｇ７）の中でもロシアに融和的とみられてきた日本だが、欧米諸国に続き、ルビコンの川を渡ってみせた。

「国際的な規範を破るような国を相手に、平和条約交渉には臨めません。むしろ平和条約交渉の中断を決めてよかったと思っています」

　当時、対露政策の決定に携わった外務省幹部の一人は、私の取材に応じると、こう言い切った。常に対露外交を優先してきた安倍政権の時代から１８０度に近い転身だった。ロシアによるウクライナへの全面侵攻を受け、日本の対露外交は劇的に変わった。

　もはやロシアでプーチン政権が続く限り、本格的な対露交渉を諦めた決断だともいえる。予見し得る将来において、北方領土問題の進展や解決も諦めたとも読み取れる。これはロシアがウクライナへの全面侵攻に踏み切った重さを考えれば、日本も進まなければならない道だった。

　ついにクリム（クリミア）をはじめとしたウクライナ問題の重みが、クリル（北方領土）という対露外交や内政問題を上回った。現在の国際政治の基調が続く限り、日本がこの道を引き返すことはあり得ない。

逆に言えば、ロシアがウクライナに全面侵攻したことにより、長年、日本外交を縛ってきた平和条約交渉という呪縛から解き放たれたともいえる。

「プーチン政権がこの先もずっと続くとは限りません。その時に、交渉を再開すればいいと思っています」

前出の日本外務省幹部はこのように打ち明ける。

展望は開けない

だが、この発言は本音でないと思う。

ロシアでこの先にプーチンに代わる指導者が登場したとしても、平和条約問題を進展させられる公算が小さいからだ。

なぜだろうか。

ソ連が崩壊し、ロシアが誕生すると、日本国内では平和条約問題の進展を期待する声が広がったが、その後の交渉は遅々として進まなかった。ロシアの初代大統領ボリス・エリツィンは早くに国内の支持率を低下させていたし、今になって思えば、本気でこの問題を進める意欲があったのかも定かではない。

何よりもロシア国内では、自国の領土とみなしてきた北方領土を日本へ引き渡すことへの反対が根強かった。ロシアが平和条約問題でかたくなな態度を取るようになったのは、何もプーチン政権が誕生してからではない。まだエリツィンが権力を握っていた１９９０年代から、北方領土を引き渡すことへの反対論は根強く、今も変わらない。

このような歴史を踏まえれば、この先のロシアで新たな指導者が誕生しても、日本との平和条約交渉に積極的に応じるとは考えにくい。ましてや今回のウクライナの侵攻に伴い、日本は他のＧ７諸国に同調して対露制裁を相次いで発動してきた。多くのロシア人が日本の行動を「非友好的」とみなすようになっている。

たとえ、この先のロシアで民主的な政権が誕生したとしても、自国に多くの制裁を科してきた日本に対し、北方領土を引き渡そうとするのか。答えは果てしなくノーに近いだろう。

日本政府の関係者は半永久的に北方領土問題の解決を諦める覚悟までして、対露制裁に踏み切ったのではないか。私にはそう思えてならない。

私が訪れた時のクリミア西部のヤルタでは暴風が吹き付け、海岸では高い波が打ち寄せていた。この光景のように、戦後の日本は北方領土問題の解決を追い求めながら、国際政治の激流に呑まれ、波間を漂ってきた。そして、この先も漂っていくのは間違いない。それはウクライナ危機が日本に突きつけた厳しい現実の一面だった。

激しく破損したドネツク空港のターミナル

第5章

最後の希望はロシアなのか

2019年3月
@ウクライナ東部ドネツク

クリミアからの帰還

2019年3月初旬、クリミアで取材を終えた私はワゴン車のバスに乗り込み、ウクライナ南部のヘルソン州を経由して、東部ドネツク州のマリウポリに入った。

この地は2022年2月に始まったロシアによる全面侵攻で、激しい攻撃を受け、国際的に知られるようになった。映像や画像を通じ、破壊し尽くされた無残な光景を目にするのだが、その3年前は普通の暮らしが営まれていた港湾都市だった。

わずか数日間であったが、ロシアに占拠されたクリミアでの滞在を終えてウクライナ本土に戻ると、何ともいえない解放感を覚えた。

表面だけをなぞれば、クリミアは特別な土地ではなかった。ロシアによる併合から5年を迎え、淡々とした日々が過ぎていた。だが人々の心の底をのぞいてみると、ロシアの行為に怒りながらも、恐れおののき、声をあげられずにいた。

一方で、ロシアの側についた人たちは都合の良い大義を持ち出し、ロシアによる統治を正当化していた。そして外国から訪れたジャーナリストの私に対して、自分たちが掲げる正義を誇示し、それに共感するよう迫ってきた。

いびつな空気を吸わされたこともあり、マリウポリに着くと、日常の空間がありがたく感じられる。小説に登場する世界から戻ってきたかのようだ。

マリウポリではカフェに入り、流し込んだビールが喉に染みる。室内では大音量の音楽が流れていたが、それすら心地よく聞こえてきた。

運転手の心遣い

ウクライナを切り取ろうとする私の旅はこの先も続く。

この後はマリウポリから100キロ北に位置するドネツクを訪れ、ロシアから支援を受けた武装勢力が統治する街を取材する。欺瞞（ぎまん）に満ちたクリミアを訪れたばかりなのに、再び、非現実的な世界へと戻っていく。そのような事情もあったから、中継地点となったマリウポリは大きな息抜きになった。

多くの民族が入り乱れてきたクリミアに比べると、ドンバス地方と呼ばれるドネツクと周辺の歴史はそこまで複雑なわけではない。

帝政ロシアの領土に組み込まれたウクライナ東部は、石炭と鉄鉱石が多く埋蔵されていることが判明し、19世紀後半から急速な工業化が進められた。その際にはウクライナ人ではなく、熟練のロシア人の労働者が重用されたこともあり、多くのロシア人がウクライナ東部に移り住んできた。すでに19世紀末に帝政ロシア支配下のウクライナでは、ロシア人の人口は300万

ドネツクの炭鉱

人を数え、全体の12%を占めたという[1]。

ロシア人による移住の波はソ連時代も続き、ソ連末期の1989年にはウクライナ共和国内のロシア人は1100万人まで増えていた[2]。形の上では共和国の管轄は線引きされていたが、ソ連時代の人々の行き来はボーダーレスといえた。

東部の中心都市となったドネツクは周辺で炭鉱が開発されて栄えていく。2000年代半ばの統計では、ドネツク市の人口は100万人弱。2001年の国勢調査によると、民族の内訳はウクライナ系とロシア系の人口はそれぞれ5割弱と拮抗していた[3]。

ドンバス地方では、クリミアのようにロシアへの編入を求める声が圧倒的多数を占めていたわけではなかった。それでもロシアが2014年にこの地域に介入したことにより、大きな混乱に見舞われた。

ドネツクを占拠した親露派勢力は2014年5月に形だけの住民投票を実施し、「ドネツク人民共和国」の樹立を宣言した。隣のルガンスク州でも同じく「ルガンスク人民共和国」の誕生が唱えられた。だが、その実態はロシアから全面的な支援を受けた傀儡の政権に過ぎない。

クリミアでは多くの住民が恐怖を覚えながらも、表面上は平穏な生活を送っている。だが、これから足を運ぶドネツクの郊外では日々の戦闘が伝えられる。2014年4月に武力衝突が始まって以来、隣接するルガンスク州も含め、累計の死者は1万3000人に達していた。終わりが見えない戦争の現場へと足を運ぶのだ。これはクリミアとドネツクの決定的な違いである。

マリウポリではドネツクで働く現地のジャーナリストと合流した。現在は身の安全を考慮し、このジャーナリストの名前や性別は伏せざるを得ない。それでも日本メディアを補佐してきた経験が豊富なことから、信頼できるパートナーだと聞いている。

クリミアで助手を務めたキリル・ナゴルニャクが私を監視する役割も担っていたことに比べると、この点では随分と気が楽になる。

マリウポリとドネツクの移動は、往路も復路も乗り合いのタクシーを利用した。どちらのタクシーでも運転席横のダッシュボードにはタバコの箱が詰められていた。運転手たちがチェックポイントで車を止められる度に、警備兵にタバコの箱を手渡し、手心を加えてもらうためだ。

ある時には、運転手がウクライナのフリブナ紙幣を握ってから、警備兵に握手を求めていた。相手の兵士も勝手を知った様子で、黙って紙幣を受け取ると、列を作っていた他の車を追い越させて、私が乗ったタクシーを先に行かせてくれた。

乗り合いタクシーの運転手たちが心遣いをする相手は、ウクライナ兵の時もあるし、「ドネツク人民共和国」の兵士の時もある。所属する軍は違えども、心遣いを受け取る兵士の行動は変わらない。また運転手が兵士に手渡す心遣いがペットボトルのコカコーラの時もあった。ここでは「マールボロ経済」だけではなく「コカコーラ経済」も機能しているかのようだ。

忘れられた戦争に

ウクライナ東部では2014年4月、武装勢力がドンバス、ルガンスク両州で政府庁舎などを占拠したが、政府は当初、話し合いによる解決を試みた。だが解決の糸口を見いだせないうちに武力衝突が始まり、5月に戦闘が本格化した。

この年の夏を迎えると、装備に勝るウクライナ軍が優勢に立ったのだが、ロシアが非正規の部隊を投入し始めたといわれる。宣戦が布告されないまま、ロシアは隣国に侵攻し、瞬く間に形勢が逆転した。

ロシアとウクライナの戦いはすでに2014年に始まっており、2022年に一夜にして開戦したわけではない。むしろ全面侵攻とは、東部に限定していた軍事介入が全土に拡大したものだといえる。

2014年の時との最大の違いは2022年は世界が注視する中、ロシアの正規部隊がウクライナに3方面から攻め込んだことである。ある意味で劇場型の戦争であり、日々の戦闘が詳しく報じられ、国際社会が強い関心を払っている。対照的に2014年に始まったドンバス地方の戦いはすぐに「忘れられた戦争」になっていた。対露制裁を発動したとはいえ、欧米諸国はロシアとの経済活動を続けてきたし、日本に至っては平和条約交渉を進めようと試みた。

戦車などが高速で進入してくることを防ぐ狙いで置かれた波消しブロック、ドネツク州にて

極端な言い方をすれば、欧米諸国をはじめとした国際社会はウクライナ東部で戦争が起きていた現実を直視しなかった。不都合な現実から目を背け、自分たちが戦争に巻き込まれないようにと願っていたとも受け取れる。

その後、ウクライナとロシア・武装勢力の間では、2014年9月と翌年2月に2度の停戦合意が結ばれたが、散発的な戦闘は止まらなかった。私が訪れた2019年は、戦争開始から5年を迎えるころだった。

ウクライナ軍と親露派勢力は2014年5月から6月にかけて、マリウポリを巡り戦火を交えた。そのような経緯もあり、マリウポリから「ドネツク人民共和国」が支配する地域に近づくに従い、兵士の顔つきも険しくなっていく。

道路の中央には、本来ならば海岸にあるはずの波消しブロックが置かれて、戦車が高速で進入してこられないように防御を固めていた。私が進んでいる道は確実に戦場に近づいている。

あるじを失ったスタジアム

私がドネツクに赴くのは9年ぶりだった。前回は2010年1月に実施された大統領選の1回目の投票の直後に訪れ、決選投票に進んだヤヌコビッチの陣営を取材した。

久しぶりに目にしたドネツクの街は明らかに活気を失っていた。マリウポリから乗ってきた乗り合いタクシーが到着した後、市の中心部を見渡しても薄汚れた印象を拭えない。

市内では午後11時から午前5時まで外出禁止令が出されているのだが、夕方になると、すでに人々は足早に家路に就いていた。

対照的に街中で目についたのは、この都市を支配する「ドネツク人民共和国」の兵士の姿である。市内で警備に当たっているだけではない。女性と手をつないで街中を歩く軍服姿の男性の姿も目に入ってきた。

ウクライナ東部有数の都市だったころの姿は影を潜め、代わりに戦場の街の香りが漂っている。

以前のドネツクは100万人の人口を誇っていたが、今では市内で出されるゴミの量から推測すると、人口が7割ぐらいに減ったと見積もられている。

2014年に戦闘が始まった直後にはドネツク市内にも砲弾が撃ち込まれていたが、今は夜半に時たま砲撃音が聞こえるくらいだ。それでも戦争の傷痕は方々に残されている。

ドネツクの鉄道駅の近くには、ガラス張りの商業ビルが立っている。近くまで来ると、所々でガラスの代わりにベニヤ板が張られていて、このビルが使われていないことが如実に分かる。

ドネツク駅近くの商業ビルでは多くのガラスに替わりベニヤ板がはめられていた

鉄道が走らなくなってからも久しい。ドネツク駅のホームには自由に出入りができたが、肝心の列車が走っていない。輸送機能が止まった中で、駅舎やホームは単なる市民の通り道となっていた。

ウクライナでは他の欧州諸国の例に漏れず、サッカーが根強い人気を誇っている。2012年には隣国ポーランドと共に、「ユーロ」と呼ばれるサッカーの欧州選手権が開催された。ドネツクのドンバスアリーナでも準決勝の1試合が催され、各地から訪れたサッカーファンと共に、多くの市民が欧州最高レベルの試合に声援を送っていた。

だが２０１４年に戦闘が始まると、このスタジアムをホームとしていたＦＣシャフタール・ドネツクは西部リビウへと移らざるを得なくなる。その後も東部ハリコフや首都キーウと国内を転々とする流浪のチームと化している。

あるじに去られたスタジアムの運命は、クラブチームよりも物悲しい。ドンバスアリーナを外から眺めると、当時のスター選手の大型の写真が飾られ、立派な外観が残されたままだ。それでもウクライナ政府がこの地を取り戻さない限り、クラブチームが戻ってくることはあり得ない。

案内してくれた現地の助手が口にした言葉も心に響いてくる。

「２０１２年にユーロが開かれたのが最も華やかな時だったのです。大会の開催前にはレセプションも開かれて良かったなと思います。時折、あの頃を思い出すのです」

この助手はむやみやたらと感傷的になる人ではないが、この時ばかりは遠き良き日々に思いを馳せていた。

ユーロが開かれてからわずか2年後に、ロシアがこの地に乗り込んで戦争を始めると、それまでの生活は奪われた。ましてや大部分の住民にとって、自分たちの思いとは無関係に始まった戦争である。どこに怒りのやり場を持っていけばいいのか。途方に暮れているかのようだ。

この助手が淡々とした口調で話したからこそ、その感情の深さが伝わってきた。

壊された空の玄関口

ウクライナ軍との戦闘現場の近くを取材したい。私はドネツク一帯を支配する「ドネツク人民共和国」に要請した。そこで案内されたのが、市中心部から北西10キロにある国際空港の付近だった。ここは外国人の記者が案内されることが多く、お手ごろな取材スポットとなっていた。

武装勢力とウクライナ軍が空港の支配を巡り、激しい戦闘を始めたのは2014年5月26日だった。前日に実施された大統領選では、有力候補のピョートル・ポロシェンコが順当に当選した。新大統領はお菓子メーカーを経営することから「チョコレート王」の異名を持ち、外相などを務めてきた経験豊富な政治家だ。

ポロシェンコが大統領の当選を決めると、待ち構えたかのように、武装勢力はドネツク国際空港の占拠に踏み切った。これに対し、ウクライナ軍が空港を空爆したことから、ドネツクでの戦闘が本格化した。この戦闘を境に、ドンバス地方全体に戦いが広がっていく。

2019年3月、私は「ドネツク人民共和国」の兵士の案内を受けながら、空港から1キロ近くの場所にたどり着いた。望遠レンズをつけたカメラのファインダー越しにのぞき込むと、無残な姿が目に入ってきた。

最もはっきりと見えるのは、在りし日のターミナルである。5~6階建ての建物では、途中で大きくねじ曲がっている箇所がある。よほどの強度の砲撃を受けた衝撃だったのだろう。むき出しになったコンクリートの壁には、数え切れないほどの砲弾の痕が刻まれていた。

遠くからも見ても、ターミナルにつながる建物がボロボロになっていたことがよく分かる。ドネツク国際空港は2012年に開かれたサッカーの欧州選手権に備え、その前年に改装工事を終えていた。リニューアルから3年もたたないうちに、空の玄関口は無残な姿へと変わったのだ。

3月初旬のドネツクではまだ草木は芽吹いていない。枯れ木の奥に見える国際空港をファインダー越しに見ていると、悲しい気持ちに襲われてきた。


そのさなかにドーンという音が響いた。

「1キロぐらい先だと思います」

私に同行していた親露派の兵士は顔色も変えずに口にした。ウクライナ軍と武装勢力が戦火を交えているのは夜半や明け方だけではない。昼間でも、当たり前のように爆音が周囲にとどろいていた。

戦闘は日常の出来事となり、この地に住んでいる人々の生活を壊し、心をむしばんでいた。

それはこの直後に紹介する男性の証言から手に取るように分かるのだ。

憎むのは自国政府なのか

ドネツクの空港を撮影した後、周辺の住宅地でかつての空港職員の男性に話を聞いた。水色と灰色で塗られた一軒家は一見すると、無事なようだが、入り口のフェンスがねじ曲がっている。ウクライナ軍の攻撃を受け、ガレージも壊れているという。

イゴールと名乗る男性は50歳だというのだが、日々のストレスと栄養が足りないせいなのだろうか。年齢よりも老けて見える。

「ドネツクの空港では25年間、ずっと溶接工として働いてきました。この仕事は体に良くないこともあり、45歳から年金をもらえます」

まずは自己紹介をしてくれた。

ウクライナ軍の砲撃で父を亡くした元空港職員のイゴール、ドネツクにて

イゴールはこの地で生まれ育ち、両親と暮らしてきたが、父も母も戦争が始まった2014年に命を落としたという。76歳だった父親はこの年の秋、路上で作業している最中に、ウクライナ軍が放った砲弾の破片が六つも体に突き刺さり、即死した。

「私も通りを歩いていましたが、大きな爆発音が響いた後に、母が叫んでいたのです。私が駆けつけると、父はすでに倒れていました。破片は父の腎臓と肝臓、そして心臓にも突き刺さっていたのです。父は何かを言いたそうでしたが、そのまま絶命しました」

一家を襲った悲劇はそれで終わらなかった。41日後に、もともと心臓が悪かった母も後を追うようにして、この世から旅立った。父と同じ76歳だったという。

「娘の一人はクリミアに住んでいますし、もう一人はモスクワです。近所の人はほとんどが避難してしまい、残されたのはおばあさんが2人だけ。彼女たちはほとんど通りには出てきません。だから私の話し相手は飼い猫しかいません」

それでもイゴールから悲しみは感じられずに、むしろ、やけっぱちになった心境がにじみ出ていた。

イゴールと話をしていて気がついたのは、「彼ら」という代名詞を使い、ウクライナ政府やウクライナ軍を非難していることだった。

「ほとんど毎日、夕方に砲撃が始まり、朝まで続くのです。今日は空港が2回も攻撃されたようです。大きな爆音が響き、窓も揺れました。彼らは昨日も夕方6時に攻撃を始めて、午前9時に終えていましたよ」

親露派が実効支配している地域に対し、ウクライナ軍は一般人が住んでいても攻撃を続けている。その巻き添えを食らい、亡くなる人が後を絶たない。これもウクライナで続く戦争の悲しき現実の一つである。

自分たちの土地に押し入り、勝手に戦争を始めたロシアを憎むのかと思いきや、そうではない。親族を亡くしたドネツクの人たちはウクライナ政府やウクライナ軍に憎悪の念を抱いている。イゴールも例外ではなかった。

「ウクライナという国には、もはや何の思い入れもありません。自分がウクフイナ国民だったことを後悔しているくらいです。前は攻撃されることを恐れていましたが、慣れてしまいました。けがをして不自由な暮らしをするぐらいなら、さっさと殺してくれと思うのです」

年金を肩代わりして

イゴールが私の取材に応じていた時には、案内役の兵士が一人同行していた。その点も考えて、イゴールはウクライナ政府やウクライナ軍を批判したのだろうか?

いや、そのようなことはないと思う。親を失い、毎日、砲撃の恐怖を味わう中、イゴールは半ば自暴自棄に近くなっていた。だからこそ何にも遠慮をせずに、思いの丈をぶちまけていた印象の方が強いのだ。その憎しみの対象はウクライナ政府であり、ウクライナ軍に向けられていた。

イゴールと話を続けていると、彼の心がウクライナ政府から離れていったもう一つの理由も浮かび上がってきた。それは数年以上も、社会保障費の支払いが滞っていることだ。

ウクライナ政府は2015年2月、親露派やロシアと結んだ停戦合意で、親露派の支配地域に住む自国民に対し、社会保障費の支払いを再開すると約束した。しかし、これらの住民が親露派支配地域にとどまる限り、支払われることはなかった。受け取りたければ、住民がウクライナ政府の管轄している地域まで赴き、手続きをしなければならない。このような状態が続いてきたといわれる。

従って親露派の支配地域からウクライナ政府が管轄する地域まで移動する手段を持たない人たちは、年金や給付金を受け取れていなかったのだ。

そこに目をつけたのがロシアである。自国の予算で肩代わりをして、年金受給者に月額3000~4000ルーブル（2019年3月当時のレートで5900~7900円）くらいの助成金の支払いに乗り出した。

イゴールも例外ではなく、次のように話す。

「私はウクライナ政府からの年金を受け取っていません。代わりに月額で4000ルーブルくらいの地域年金をもらっているのです」

注意をしていなければ聞き逃してしまいそうだが、よくよく考えると奇妙な話である。ウクライナの領土であるドネツクに住みながらも、住民が受け取る年金を隣国の通貨ルーブルで話しているのだ。

腸捻転が起こり

ドンバス地方については、親露派の武装勢力が実効支配していると報じられてきた。しかしロシアが社会保障費の支払いなどを肩代わりして、住民の歓心を得ている。武装勢力というフィルターを通しながら、ロシアがこれらの地域を支配している実態が浮き彫りになってくる。支配下に置かれた住民たちは、憎しみの対象をウクライナ政府やウクライナ軍へと向けている。これらの地ではクリミアとは別の形を取りながら、腸捻転を起こしているかのようだ。ウクライナ東部で始まった戦争が5年を迎えるころになると、戦火の中で死の恐怖と向き合ってきた人々は、かつて持っていた「常識」も失い始めていた。

イゴールは家に残された食べ物がほとんどないと打ち明けてきた。

「もう何も残っていません。次の年金を受け取るまで20日もあるのです」

シャワーを浴びる機会もろくにないのだろう。彼と話をしていると、すえたような匂いも漂ってきた。私は黙って500ルーブルを手渡した。ロシア政府から支給される年金の月額の8分の1にしか当たらないが、せめてもの足しにしてもらいたかった。

我々はイゴールと別れ、別の地点で取材を終えてから、ドネツク市内に戻ろうと車を走らせていた。そのさなかに自宅の方角へと足を速めるイゴールの姿を目にした。

そう言えば、一番近くの食料品店までは徒歩で20分ぐらいかかると話していた。イゴールの様子からは買い物をしてきたことがわかった。一瞬、車を止めて声を掛けようかと思ったが、やめておいた。

その雰囲気からは、ウオッカでも買ってきたように思えたからだ。自暴自棄に近い発言を続けてきたイゴールだ。思わぬ金が転がり込んできたことから、この日ばかりは浴びるように酒を飲みたい。そのような気持ちになったのかもしれない。そんな時に声を掛けるのはやぼに思えてならなかった。

ドネツクを巡る情勢

その後の私はドネツク市内に戻り、「ドネツク人民共和国」の首長、デニス・プシーリンとのインタビューに臨んだ。ここで共和国を自称する武装勢力を取り巻く状況を説明しよう。

ロシアは2014年4月、ドネツク、ルガンスク両州に自国の情報機関出身者や元軍人を送り込み、争乱を起こした。政府庁舎を占拠した武装勢力は5月になると、それぞれの州で「ドネツク人民共和国」と「ルガンスク人民共和国」を設立させると宣言した。そして形の上で独立の是非を問う住民投票を実施して、圧倒的な賛成多数を得たとして、一方的に独立を宣言した。

当然ながら国際社会は、このような茶番に付き合わずに国家承認を見送った。一方で、この時のプーチン政権はくせ球を投げてきた。すんなりと自国に併合したクリミアの場合とは異なり、二つの共和国の独立を承認しなかったのだ。

ドネツク人民共和国やルガンスク人民共和国のような「国」は、一般的に未承認国家と呼ばれる。くしくも1991年のソ連崩壊と前後して、旧ソ連諸国では幾つかの未承認国家が生まれていた。ジョージアは、北部に「南オセチア」と「アブハジア」という二つの未承認国家を抱えている。モルドバの東部には「沿ドニエストル共和国」が、アゼルバイジャンには「ナゴルノカラバフ共和国」と呼ばれる未承認国家があるという具合だ。

それぞれの未承認国家が誕生するまでの経緯は異なるが、総じてソ連や後継となったロシアの情報機関が民族間のあつれきを残すことを狙い、未承認国家の「建国」を後押ししたとみられている。

つまり紛争地に未承認国家を作り出すのは、ロシアがソ連時代以来、使ってきた常とう手段なのだ。そのような前例を踏襲して、2014年のプーチン政権は、二つの共和国を国家承認しない道を選んだ。ウクライナ東部を政治的に不安定な状態にとどめ、ウクライナの政権を揺さぶり続ける狙いがあったのだろう。

装備に勝るウクライナ軍は当初、武装勢力との戦闘を優位に進めた。この事態に危機感を強めたロシアは、8月になると、ウクライナの戦場に秘密裏の部隊派遣に踏み切った。戦況は一転して、ウクライナが劣勢に立たされたのだ。

その後のウクライナと親露派・ロシアは2回にわたり、停戦合意を結んだ。2014年9月に結んだ合意は「ミンスク1」、翌年2月に結んだ合意は「ミンスク2」、もしくは後者の合意をもって「ミンスク合意」と呼ぶことが多い。

特に「ミンスク2」は、ウクライナ軍が直前の戦闘で大きな敗戦を被ったことから、不利な条件を呑まされた。

まずは前回の合意と比べると、ウクライナ政府が管轄する地域の面積を大幅に減らさざるを得なかった。さらに親露派の支配地域で選挙を実施した後に、憲法で特別な地位を与えることに同意し、そのような項目を盛り込んだ憲法改正も約束させられた。ほかにも親露派が実効支配する地域で支払いが滞っている社会保障について、支払いを再開することを受け入れた。

一方でウクライナ国内から外国人兵士や外国の車両を引き上げる項目を盛り込んだ。また現在はロシアが掌握している国境を管理する権限をウクライナに戻す点でも合意に達したが、あくまでも親露派の支配地域に特別な地位を与えた後であるとの条件を呑まされていた(4)。

この合意はウクライナにとって「トロイの木馬」になる恐れがあった。親露派の支配地域に特別な地位を与えたとすれば、ウクライナが北大西洋条約機構（NATO）や欧州連合（EU）への加盟を決めようとしても、常に反対する勢力を抱えることになる。

しかし、東部の戦場で壊滅的な危機に見舞われたことから、このような合意内容も呑まざるを得なかった。そのため国内では合意を履行するための同意を取り付けられず、年月ばかりが過ぎていた。ロシアや親露派に対しては、「ウクライナはミンスク合意を履行しようとしていない」と批判されるような材料を与えてしまったのだ。

ドンバス地方で戦争が始まってから5年弱。停戦を定めたミンスク合意が結ばれてから4年。私が「ドネツク人民共和国」トップのプシーリンにインタビューしたのは、そのような時期だった。

親露派のトップとは

それでは、プシーリンという人物の人となりや、なりわいを見てみよう。

2014年4月、ロシアがドネツクで争乱を起こすまでは無名の存在だった。地元のネズミ講組織の役員を務めたほか、2013年の最高会議（議会）の補欠選挙に出馬したが、泡沫候補に過ぎなかった。(5)

ところが翌年春に親露派勢力がドネツク州庁舎を占拠すると、スポークスマン的な存在に躍り出た。その後に「ドネツク人民共和国」が独立を宣言すると、最高評議会の議長を名乗り、2018年秋の選挙で共和国トップとなる首長に選ばれた。

前任はアレクサンドル・ザハルチェンコという武装勢力の指導者だったが、この年の8月にドネツク市内のカフェに立ち寄った際に爆死した、と発表された。

ロシアや武装勢力は、ウクライナ政府によるテロ工作だと批判したが、武装勢力が支配するドネツクでトップが簡単に殺されたということは疑問視された。ロシアが指示を聞かないザハルチェンコを排除したのではないか。ザハルチェンコが爆死したように見せかけて、別の国に逃亡したのではないか。このようなうわさが絶えない。

いずれにしろ新たに武装勢力のトップに就いたプシーリンは、ロシアの傀儡の指導者である。そのような人物と対峙するのだから、私はどんよりとした気持ちでインタビューに臨んだ。

「ドネツク人民共和国」の政府庁舎は市中心部に位置しており、味気ない11階建ての建物である。厳重に身体検査をされた後、エレベーターで最上階に移動したのだが、不気味な静けさが辺りを覆っていた。さながらテレビドラマの「悪の組織」の総本山に足を踏み入れたかのようである。

最上階に着いてからプシーリンの執務室に通された。昼間だというのにカーテンが閉められて薄暗い。日本人と比べると、スラブ系の人たちは光に弱い。そのために薄暗さを好む傾向があるが、ここまで暗い部屋に通された記憶はない。外から攻撃されるリスクを避けるために、カーテンを閉めているようだ。

プシーリンが腰掛ける席の左右には、白青赤のロシアの三色旗と黒青赤の「ドネツク人民共和国」の三色旗が立てられている。共和国を自称しながらも、この地域の真のあるじが誰であるのかを無言で物語っていた。

ドネツク人民共和国のデニス・プシーリン首長

続く自己正当化

私が部屋に案内されてから待つこと10分と少し。グレーのスーツを身にまとったプシーリンが姿を現した。愛想がないし、一国の指導者としてのオーラも感じられない。それでも私が写真を撮っていると、一瞬だけ笑顔をのぞかせた。

まずは「ドネツク人民共和国」の建国宣言から5年になるのを前に、これまでの道のりを尋ねてみた。

「キーウで起きたクーデターの後、新しい政府が押しつけてきた価値観や優先事項は、我々の過去や将来への姿勢と一致せずに、受け入れられませんでした。その後の5年間は、経済や交通、食品、資源などの分野で制裁を科されながらも、市民は日々の生活を送ってきたのです」

プシーリンは、2014年2月の政変後に誕生した暫定政権の方針に賛同できず、その後に武装勢力が取った道は正当な対抗策だったと言い張った。

当然ながら、これらの主張を額面通りには受け入れられない。ドネツクで取材をサポートしてくれた現地助手によると、2014年春にドネツクで暫定政権に対する抗議運動が始まったときに、明らかにロシア人とみられる参加者が混じっていた。そのために抗議運動を主導したのが地元ドネツクの勢力ではなく、ロシアから送られてきた者たちだったとみなしていた。

プシーリンは「ドネツク人民共和国」が独立を宣言した後、ロシアの支援を受けながら、自力で「国造りを進めてきた」と唱えている。

「ロシアが人道支援してくれたことにより、多くの住民が餓死せずにすみました。そして自分たちの経済を建設し、予算を練り上げていくことも(ロシアから)学んだのです。我々は自分たちしか頼れないのですが、(ウクライナ政府と)交渉していく過程では、ロシアが支えてくれました」

そのうえで2015年の停戦合意を仲介したフランスやドイツがウクライナに十分な圧力をかけていないことから、キーウの政権が合意の履行を怠っていると批判した。

このような発言も想定内といえた。

ロシアの意向に従う「ドネツク人民共和国」としても、本音では停戦合意が履行されることを望んでいない。むしろウクライナ政府が停戦合意を履行できずにいる方が、都合が良いのだろう。現在のような中途半端な状況が続けば、この先もウクライナの政権を揺さぶることができるからだ。

ゼレンスキーをどう見たのか

次にプシーリンが言及したのは、この月に予定されているウクライナ大統領選挙についてだった。

「ドネツク中心部では平和な生活を享受できています。それでも停戦ラインの近くに行けば、戦闘や砲撃、壊されたインフラを目にするでしょう。住民たちはしばしばシェルターへの避難を強いられています」

「残念ながらウクライナで選挙が近づくのに従い、砲撃が激しくなっています。ウクライナ側は政治的なカードを使っているのです。ウクライナは多くの問題に直面しているから、全てを戦争のせいにしようとしているのです。実際のところは、彼ら自身がこの戦争を続けています。だからウクライナからの攻撃や挑発行為が増えているのです」

プシーリンの主張は一方的だし、多くの曲解が混じっている。ただし全てが間違っているわけでもない。ウクライナ軍の攻撃に巻き込まれて、命を落とす住民が少なくないのも事実である。この章の前半で紹介したように、ドネツク空港の近くに住むイゴールの父親も、ウクライナ軍の砲撃の巻き添えになった一人だった。

ウクライナ大統領選挙でトップを走っていたのは、コメディアン出身のボロディーミル・ゼレンスキーである。この未来の大統領については第8章で詳しく取り上げるのだが、ゼレンスキーは選挙戦で東部の戦闘をいち早く終わらせるべきだと訴えていた。プシーリンにゼレンスキーの評価を尋ねてみた。

「ウクライナ人が自分たちの候補を選べばいいことです。我々にとって大事なのは、平和について語れる人物が現れることです。そして、その人物がこの紛争を政治的に解決できることなのです。残念ながらウクライナの傾向を見る限りでは、そのような人物は追いやられてしまうようですね」

プシーリンは皮肉も交えてきた。

果たしてゼレンスキーが当選すれば、選挙公約を実現できるのだろうか。この点についても尋ねたが、相変わらず冷たい対応しか見せない。

「それはゼレンスキーに聞いてみて下さい。彼が何を実行できるのか。個人的な意見を言えば、ゼレンスキーにはほとんど期待していませんよ」

この3年後にロシアがウクライナを全面侵攻した事実を踏まえると、プシーリンの発言は興味深い。もちろん、政治的なジェスチャーが混じっていたが、ゼレンスキーには期待していないと明言してみせた。

すでに2019年春の時点で、武装勢力にしても、その背後に控えるロシアにしても、ゼレンスキーが東部の戦争を収束できるとは思っていなかったのだろう。選挙戦ではトップを走っていたが、この時のゼレンスキーは政治経験が皆無であり、議会の支持を得られるのかどうかも定かでなかった。

これは、武装勢力としても、ロシアとしても、東部の戦争を解決させる意欲も意思もなかったといえないだろうか。もし東部の戦闘が収束して、その後にミンスク合意の履行プロセスが進むとすれば、武装勢力が支配する地域では選挙が実施される。その後に、ウクライナからは特別な地域という地位を与えられる段取りだが、武装勢力はそのような和解を望んでいなかったのではないだろうか。むしろウクライナ政府との対立と、断続的に戦闘が続くことの方が、自分たちの存在意義を維持できると考えていたのではないだろうか。

多くの欺瞞や曲解に満ちていたプシーリンの発言だが、この点では本音を漏らしていたように思えてならない。

ロシアの介入を否定

プシーリンに聞いておきたい点があった。それはロシア軍が5年も続く東部の戦闘に関わっているのかどうかについてだ。だが、この問いに対しても、プシーリンは鼻で笑うように否定した。

「ウクライナは何度もばかげた政治的な声明を出していますが、そんなものに惑わされない方がいいですよ。それよりも全欧安保協力機構（ＯＳＣＥ）の監視活動に注意を払うべきです。ＯＳＣＥの報告によれば、ロシアの兵士もいないし、ロシアの兵器も存在しません。ＯＳＣＥは24時間体制で監視に当たっていますから、こちらを重視するべきではないでしょうか」

こう主張するプシーリンだが、これも事実に反する発言といえる。

すでにロシアの情報機関の出身者が自らウクライナの戦闘に関与してきたことを打ち明けている。イーゴリ・ギルキンはイーゴリ・ストレルコフを名乗り、２０１４年に「ドネツク人民共和国」の国防相に就いた。私の同僚の真野森作がウクライナ危機をまとめた著作では、次のように打ち明けている(6)。

ギルキンは世界的に知られたＫＧＢ（ソ連国家保安委員会）を引き継いだ情報機関、連邦保安庁（ＦＳＢ）の退役将校だという。

２０１４年には、まずクリミアでウクライナ政府への抵抗運動に賛同する指導者を見つけ出そうとして、義勇部隊の指揮を執った。その後にドネツク州に転戦し、政府庁舎の占拠を指揮した。さらにウクライナ軍との戦闘を指揮するが、戦局が不利になったこともあり、８月には国防相の辞任に追い込まれた。

真野とのインタビューで、ギルキンは親露派武装勢力を指揮していた時にはロシア本国から弾薬を補給してもらえなかったと証言している。そのうえで「ドネツク人民共和国」の指導者たちが、プーチン政権の指示に従うだけの存在に過ぎないとも批判してみせた。

その後にウクライナから出国するように命じられたギルキンだが、世界的に悪名をはせている。

２０１４年７月、オランダのアムステルダムを出発したマレーシア航空機は、ウクライナ東部の領空を飛行していた際、何者かに地対空ミサイルで撃ち落とされた。乗客乗員２９８人が犠牲になったマレーシア航空機の撃墜事件である。

当時の通信記録などを分析すると、ミサイルを発射した親露派部隊を指揮していたのがギルキンだったとみられている。オランダの裁判所は２０２２年11月、ギルキンを殺人罪に問い、終身刑を言い渡した。当人は関与を否定しており、ロシア政府も身柄の引き渡しに応じるそぶりも見せない。

ロシアによるウクライナへの全面侵攻においても、ギルキンはその名を知らしめた。侵攻した方のロシアが苦戦を続ける中、ギルキンは絶えず、ロシアがウクライナに正式に宣戦布告するべきだと訴え、好戦派の論客に躍り出た。10月になると、ロシア政府が発動した部分的動員令により召集されたことから、ウクライナ軍がギルキンの首に10万ドルの懸賞金をかけたことも広く報じられた。

年金を盾に取られ

私はこの前日にドネツク市内で十数人の市民に話を聞いてみたのだが、総じてプシーリンと似たような回答が多かった。テーマ別に紹介してみよう。

まずはロシアが住民に支給している社会保障の補助金とその効果についてである。地元の人たちは、このねじれ現象をどう受けとめているのか。

「全てが悪い方向に変わってしまいました。かつて私たちは『明日はより良い一日になるだろう』と信じて暮らしていました。仕事もあるし、休暇も取れるし、持ち家もありましたが、今は何もありません。朝起きても『何かを期待できるのだろうか?』と暗い気持ちになってしまいます」

こう打ち明けるのは59歳の年金生活者のエレーナだ。それでも、このような事態になった責任の所在を尋ねると「分からない」と言葉を濁す。

「誰を非難するべきなのかは分かりません。誰も信用できないから、ウクライナも、地域政府（ドネツク人民共和国）も信じられません。頼れるのは自分だけなのです」

エレーナはロシアが支給する年金を受け取っている。

「ウクライナ政府は年金を支払ってくれません。ロシアからは月額３０００ルーブルの支払いを受けており、助けてもらっています」

どんなに現状を嘆いていても、生活のためには背に腹は代えられない。本音に近い感情を打ち明けながらも、年金の受け取りが絡んでいることもあり、ロシアへの批判を口にしなかったようだ。

併合すら望み

エレーナのように、悩める胸の内を素直に明かす人はまだ珍しい方だ。この日に話を聞いた高齢者の多くは、あけすけにウクライナを批判し、ロシアへの賛辞を口にしていた。

「ウクライナとポロシェンコが悪いのです。ウクライナは（ヤヌコビッチ政権への）抗議運動を進めただけではなく、我々を攻撃し続けています。一刻も早く戦争が終わってもらいたいのに、もう5年も待ち続けているのです。自分の国民を殺している政府なんて狂っていますよ」

こう語るのは80歳の年金生活者のバレンティーナだ。

「ロシアからもらっている年金は月額３０００ルーブルです。十分ではないですが、助けになっています。保育園や学校、病院にも食料を支給してくれているのです。それなのに、なぜかロシアが悪く言われているのです」

ロシアを弁護したうえで、併合してもらいたいとの願いも打ち明けてきた。

「私自身はロシア系です。だから喜んで、この地がロシアに戻ればいいと思っています。ドンバス地方がロシアの一部になることを望んでいます。ロシアの方がウクライナよりも好ましいのです」

こう話してはばからなかった。

もう少し冷めた目で事態を眺めている市民もいる。

「ロシアは年金を支払い、我々を助けてくれています。もしウクライナが我々を必要だと思っているのならば、こんな事態を放置しなかったでしょう。少なくともプーチンは我々の年金に気を配ってくれています」

匿名（とくめい）で取材に応じた65歳の女性は次のようにも続けた。

「ロシアの労働市場にも限界がありますから、我々は必ずしも必要とされているわけではないのです。本当にいい仕事を見つけられるのは学校の教師や医師、コンピューター技師ぐらいなのでしょう」

こう話して自分たちを「必要のない存在だ」と嘆いてみせた。ただし「必要のない存在」に仕立て上げた張本人は、介入してきたロシアなのだが、この女性もロシア批判は避けていた。

若い住民は

この日に話を聞いたドネツク市民の多くが高齢者であり、ウクライナとロシアが一つの国だったソ連時代への郷愁を抱く人が少なくなかった模様だ。それでは若い世代は現状をどう思っているのだろうか。

地元の教育機関で外国語を教えているエレーナ（22）は、複雑な胸の内を語ってみせる。
「いい方向へとは進んでいません。ここで得た卒業証書はどこでも認めてもらえずに、仕事を見つけられないからです。ここでも仕事がありますが、給与は良くありません」

親露派の支配地域が国際社会で承認されていないことに伴い、この地で高等教育機関を卒業しても、取得した学位が尊重されていないというのだ。ロシアで生まれ、ドネツクに移り住んできたエレーナだが、周りの高齢者たちのようにロシアを敬愛しているわけではない。
「誰を非難すべきなのかは分かりません。ロシアに対しても複雑な思いがあります。それでもウクライナに対して、どう考えていいのか。答えるのが難しいですね」

それでも今後の生活を考えると、ロシアに戻ることを考えてしまう。

「ここでは5年間も物事が止まったままです。そして5年後も変わらないでしょう。だから1年後ぐらいには、姉妹が住んでいる（ロシア南部の）ボロネジに移ろうと思っています」

戦争が続き、いい仕事も見つけられない中で、エレーナはドネツクでの将来に見切りをつけようとしていた。

ドネツクでもルースキーミール（ロシアの世界）と呼ばれるイデオロギーが及ぼした影響を見ることができる。プーチン政権は2000年代半ばから、ソ連崩壊後に他国に取り残されたロシア系住民とロシア本国の結びつきを強調し、これらの人々が住む地域を自国の勢力圏内に取り込もうとしてきた。

ドネツクの若い世代は「ロシアの世界」をどう思っているのだろうか。

25歳の女子学生アレクサンドラは次のように話す。

「戦争はいつ始まったのでしょうか？　誰も予想しなかったうちに、全てがあっという間に始まっていました。今でもすぐにでも終わってほしいと願っています。それでも今後5年がたっても、何も変わらないでしょう。次の世代だけでは再建できないと思っています。3世代ぐらいかけなければ、いけないのかもしれません」

アレクサンドラはウクライナ軍から頻繁に攻撃される地区に住んでいるという。そのせいなのだろうか。ウクライナ政府への憎しみを隠そうとしない。

「ウクライナ政府が悪いのです。彼らは破壊していくだけなのです。ウクライナが我々を傷つけてきたから、もう、あの国の一部でいたいとは思いません」

そのうえで、ルースキーミールについて、自ら言及した。

「我々は『ルースキーミール』を受け入れたいわけではありません。本当ならば（ロシアとウクライナの対立に巻き込まれずに）中立でいたいのです。それでも自力では無理なことは分かっています。だから『ルースキーミール』を受け入れてしまうのです」

このような現実を打ち明けたうえで、アレクサンドラは驚くような発言も口にした。

「ロシアならば、少なくとも何かを再建してくれます。ロシアが最後の希望なのです」

祖国だったウクライナではない。実態がない「ドネツク人民共和国」でもない。唯一の期待をかけられるのは、自国に侵攻してきながらも経済的に支援してくれるロシアだというのだ。ソ連時代にノスタルジアを感じる高齢者にとどまらず、若い世代からもこのような声が漏れてくる。これが「２０１９年のドネツク」の現実でもあった。

理性で拒みながらも

当然ながら、ドネツクに住む全ての人たちがこのように考えていたわけではない。この地で取材を手伝ってくれた地元ジャーナリストは「ドネツクはウクライナ領であるべきです」と確信を持って話す。

ドネツクで雇った運転手は、妻との間でロシア支持とウクライナ支持で意見が割れて、離別の道を歩んだという。私が「ドネツク人民共和国」の首長プシーリンをインタビューした時に、同行してくれた女性も、身内との間で意見が割れて、仲たがいしたと聞いている。

祖国であるはずのウクライナに残るべきなのか。それとも歴史的なつながりがあり、裕福な隣国に吸収されるべきなのか。ドネツクでは多くの人が揺れていた。それでも街中で話を聞いた人の大部分はロシアに心を寄せていた。


とりわけ最後に紹介したアレクサンドラの話は強烈だった。

理性では、ロシアが押しつけてくるルースキーミールを受け入れたくない。だが現実的な選択肢として、「ロシアの世界」に手を伸ばさざるを得なくなっている。

もはや好きとか嫌いという問題ではなくなっている。ロシア自身がドネツクを戦地にしておきながら、経済支援を武器にして、人心に食い込んでいる。そのような現実がまざまざと浮かび上がってくるのだ。


数日前にクリミアで取材した時には、この地を覆う欺瞞に怒りを覚え、おびえて暮らす人たちに私は深い同情の念を覚えた。

だがドネツクでは違った。少なくとも私が見聞きした限りでは、多くの人たちがロシアにあらがうことをやめて、物質面だけではなく、精神面でも侵食されていた。だから、この地を取材して感じたのは絶望だった。

ロシアが親露派という緩衝材を間にはさみながら、この地を支配して5年を迎えようとしている。もはや後戻りすることはなく、「ロシアの世界」がどんどんと広がっている。ドネツクの人々の心に入り込んだロシアの存在の大きさを見ると、実効支配の波にあらがうすべが見つからないとも思えてくる。

浮かび上がるプーチン

「最後の希望はロシアだ」。ドネツクの街中で話を聞いたアレクサンドラはそう明言した。この発言を聞くと、米国の映画シリーズ「スター・ウォーズ」を思い出してしまう。

第2作「帝国の逆襲」ではジェダイの騎士ヨーダとオビワンが、若きルーク・スカイウォーカーを「最後の希望だ」と語り合う場面がある。ただし当時のルークは経験不足から、悪の権化とされるダース・ベイダーにかなうすべはなかった。

ドネツクに来る前の私は現地の人たちに「最後の希望」を問うと、祖国であるウクライナとの答えが返ってくると思っていた。どんなにウクライナの国家運営が拙かったとしても、この地を治める大義がある。ましてやドネツクはクリミアのように歴史的に複雑な経緯を持つ地でもないから、そう信じて疑わなかった。

しかしソ連時代にノスタルジアを覚える高齢者だけでなく、若者ですら、そのように答えてこなかった。ドネツクの人々が「最後の希望」として挙げたのは、この地に騒乱をもたらしたロシアだった。それはさながら、「最後の希望」としてダース・ベイダーを選ぶような回答だった。

寒風の吹きすさむドネツクで、どんよりとした空に浮かび上がったのはプーチンの顔だった。機械音の呼吸を繰り返すダース・ベイダーのように、プーチンがそこにたたずんでいた。そう思えてならない。

ハリウッドの作品では勧善懲悪のシナリオ通りに物語を閉じられる。だが現実の世界ではそのような倫理観が通用せず、力がものを言う。その意味では、ドネツクでは国際政治の冷酷さをまざまざと見せつけられたのだ。

マリウポリの中心部でドネツクから届けられた品々を受け取る人たち

第6章 戦争で失った味覚

2019年3月
@ドネツク州マリウポリ、ドネツク

奇妙な光景

2019年3月、親露派武装勢力が支配しているドネツクを訪れる前に、「玄関口」となる港湾都市のマリウポリの広場で奇妙な光景を目にした。

車のトランクと後部ドアを開けた女性が大声で名前を呼んでは、近づく人に何かを渡していた。一瞬、物資を配給しているのかと思ったが、どうも様子が違う。

名前を呼ばれた人たちは、渡された品々を手にして、足早に去っていく。のぞき込んでみると、手渡されたのはシーツやら枕やら日用品が多いようだ。中にはワイングラスを箱から取り出し、壊れていないかを確かめている女性も見かけた。

「ドネツクから着の身着のままで逃げて来た人が多かったのです。だから現地の知り合いなどに頼んで、自宅に残された身の回りの品物をこちらに送ってもらう人が少なくないのです」

マリウポリからドネツクまで同行してくれた現地の助手はこう説明する。車から取り出した品々を周囲に渡していた女性は一種の運び屋だという。

運び屋たちはドネツクに戻れなくなった人たちにしてみれば、思い出の品を手元に取り戻してくれるありがたい存在なのだ。ドネツクにしても、マリウポリにしても、5年前までは想像もしなかった環境に置かれ、人々の間には思いがけない需要と供給が生まれている。

この現地助手のようにマリウポリまで来られる人は、ドネツクでは手に入らない品々を購入して帰っていく。私がマリウポリで助手と落ち合い、打ち合わせを終えたのは午後9時過ぎだったが、これから買い物に行ってくるという。何を買うのかを尋ねてみると、ドネツクでは入手できなくなったコーヒー豆の購入が欠かせないと答えてきた。

「このコーヒーを飲む度に、ウクライナを思い出すのです」

普段は感傷的にならない助手なのだが、ウクライナ政府がドネツクを統治していた5年前を「歴史の一時」のように話す。この言葉遣いを耳にするだけでも、ウクライナ東部の人たちの現状認識が伝わってくる。ロシアが力ずくでドネツクを占拠した後では、ウクライナが取り返せる可能性は限りなく小さいのだ。

助手はリンゴと薬も買いに行くという。

「今のドネツクでは以前のようなリンゴが手に入らなくなったのです」

ドネツクでは薬の値段が高くなり、購入できる種類も減っているから、マリウポリに来る度に購入する生活を続けているという。

地元版のマック

「ドンマック」

これはドネツクを訪れた際に、是非足を運んでみたかったハンバーガーチェーンの名称である。

この地を支配する武装勢力に対し、欧米諸国が経済制裁を科した影響を受け、マクドナルドが撤退した。その隙間を埋めるようにして、２０１６年から、このチェーン店が営業を始めたのだ[1]。

ドンバス地方と呼ばれる地域一帯の頭文字の「ドン」と、撤退したマクドナルドの「マック」を掛け合わせて名付けられた。音の響きも悪くないし、何よりもマクドナルドを模倣した開き直りぶりがおかしくなってしまう。

ウクライナ東部で続く戦闘について、その原因の一つをたどれば、ロシアと米国の対立が背景にあることは否めない。冷戦後の米国は国力を落としたロシアを横目に、ウクライナで影響力の拡大を試みた。

２００４年の大統領選の決選投票では、親露派候補とみられたヤヌコビッチの当選が発表された。ところが不正開票が横行したことがわかり、キーウなどで大規模な抗議運動が広がり、この動きは「オレンジ革命」と呼ばれた。結局、12月にやり直し投票となり、親欧米派候補とされるユーシェンコが当選した。

「オレンジ革命」の評価はウクライナ国内で分かれる。

欧米諸国やウクライナ中部・西部では、不正選挙に立ち上がった「民主化運動」とたたえられた。だがドネツクなどウクライナ東部や、その後ろ盾だったロシアでは、一連の動きを「米国の介入」と捉えたのだ。

2010年の大統領選で雪辱を果たしたヤヌコビッチだが、汚職の広がりやロシアに接近した政策に反発が強まり、「マイダン」と呼ばれた抗議運動が広がった。結局、抗議の波に絶えきれず、ヤヌコビッチは2014年に隣国ロシアに逃亡して政権が崩壊してしまう。この時もウクライナ東部では、米国が背後で操っていたのではないかとの疑念が広がった。そのためドネツクでは米国への反感が根強く残っている。

ドンマックの話に戻る。私がこのチェーン店を面白いと思うのは、ドネツク市民の中で米国を嫌う「感情」と、マクドナルドを好む「食欲」が混在している点である。

以下は同僚の真野森作が開店直後のドンマックを取材したときのエピソードだ。

マクドナルドが撤退した後のドネツクでは、ある16歳の少女が禁断症状を起こしてしまい、わざわざ国境を越えて、ロシアの都市までマクドナルドを食べに行っていたという[2]。

制裁下のドネツクでは一時期、コカコーラも流入しなくなっていた。だから真野が一緒に仕事をしていた男性カメラマンは「ああコーラが飲みたい」と叫んでいたそうだ[3]。

このようなエピソードを聞くと、米国発のハンバーガーと炭酸飲料がいかにドネツクの人々の生活に浸透していたかがうかがい知れる。そして長引く戦闘と制裁の影響を受け、住民は楽しみの一つを奪われた。

その隙に入り込んだのが、くだんのドンマックなのだ。

人気のない模倣チェーン

ドネツクに着いてから2日目。取材の合間に、楽しみにしていたドンマックに足を運んだ。「ДонМак」。キリル文字を使ったロシア語ではこう表記する。ロゴを眺めると、Mの文字がひと際大きく、しかも黄色で強調されている。この点だけでも、米国発のハンバーガーチェーンをまねしていることが一目でわかる。

助手と一緒に店内へ。この店の味をじっくりと鑑賞したいから、大きいサイズを頼んだ。商品名はずばり「ビッグマック」だ。一緒に頼んだフライドポテトも真っ赤なパッケージに入れられて、大きなMの文字が記されていた。ここまで徹底してマクドナルドを模倣していると妙に感心してしまう。

私は普段マクドナルドにほとんど行かないことから、オリジナルの味と比べて評価できない。それでもドンマックで食べてみた「ビッグマック」は食べられないような代物ではない。厚切りのフライドポテトにもついつい手が伸びてしまう。ただし「ペプシコ」と言って出された炭酸飲料は、砂糖の味が強すぎておいしくなかった。これは失格だ。

「そんなに悪くないと思うんですけれども」

助手にそう感想を告げたのだが、首を横に振られた。かつて愛好していたマクドナルドに比べると、確実に味は落ちたという。助手には10代の子どもがいるのだが、次のように打ち明けた。

「『ドンマックに食べに行こうか』と誘っても乗ってこないのです。こういう店が子どもに好かれなかったら駄目じゃないですか」

マクドナルドを模倣したハンバーガーチェーンの「ドンマック」。ロゴも似ている

なるほど子どもたちの舌は正直なようだ。マクドナルドに去られたドネツクでは、住民が模倣品でしのぎながらも、中には「本物」を恋しがっている市民も少なくないようだ。

本国の米国では、マクドナルドが中毒症状を引き起こす典型例として引き合いに出されることが少なくない。米国への反発が強い旧ソ連の一都市に来ると、そのような側面が実証されているのだから、妙におかしくなってしまう。

ドネツクに来て気がついた別の食料事情もある。

ロシアの隣国であるベラルーシから輸入された乳製品やウオッカ、ビールが少なくないことだ。助手によると、特にここ1〜2年でベラルーシ産の品物が増えてきたという。欧米やウクライナ本国からの食料品が消えていく中、ドネツクはどんどんロシアの経済圏に組み込まれているようだ。

街中を歩く女性のタチアナ(41)に尋ねてみると「ベラルーシ産の食品は悪くないです」と肯定的だった。ウクライナ本国からの食料品については「全然恋しくないですよ」とも言い切る。私の取材を手伝ってくれた助手がコーヒーやリンゴを恋しがり、マリウポリに行くたびに購入しているのとは対照的だった。

ドネツクではタチアナのような市民が増えていくのだろうか。そして、この後はマクドナルドがあった時代の記憶がどんどん薄れ、ドンマックの味が標準とされていくのかもしれない。

ロシアでも消えて

2022年2月にプーチンのロシアがウクライナへの全面侵攻を始めたことにより、ドネツクで起きたことがロシアで再現された。今度はロシアからマクドナルドが消えたのだ。ロシアが全面侵攻に踏み切ってから数週間後、マクドナルドはロシアにおける活動を一時停止すると発表した。

これはロシアにとってだけではなく、米国にも衝撃を与えた。冷戦の終わりが告げられて間もない1990年、ソ連のマクドナルド1号店はモスクワの中心部に建てられた。開店を前にした長蛇の列は米国発のファストフードの磁力を思い知らせ、西側陣営が社会主義に勝利した象徴とも目された。

マクドナルドは経済のグローバル化が進む中で、米国の勝利の象徴でもあった。「マクドナルドが進出した国同士は戦争しない」。ニューヨーク・タイムズ紙のコラムニスト、トーマス・フリードマンはこのように説き、経済の結びつきが国境を越えて進んだ典型例として取り上げた[4]。

だが2014年にロシアがウクライナに攻め込んだことにより、このセオリーは正しくなかったことが露呈した。どんなに自分の国の住民がマクドナルドに引きつけられたとしても、プーチンのような指導者は領土拡大の要求を優先して、軍事侵攻に踏み切ることを辞さなかった。ファストフードをはじめとした大衆文化が放つ磁力にも限界があるのだ。

まずマクドナルドが消えたのは、ロシアが一方的にウクライナ東部の前線基地にしたドネツクだった。その隙間を埋めるためにドンマックが現れたが、現地での評判は今ひとつのようである。

その8年後にロシアがウクライナへの全面侵攻に踏み切ると、マクドナルドは勝利の象徴の地だったロシアから撤退することも辞さなかった。2022年5月になると、ロシアでのビジネスから完全撤退すると発表したのだ。

この物語はそれだけで終わらない。

マクドナルドに去られたロシアでは、その翌月に地元資本がマクドナルドの権益を買い取り、「フクースナ・イ・トーチカ(おいしい、それだけ)」というチェーン店を開店し、国際的なニュースになった。

まさにドネツクで起きたことがロシアでも繰り返されているのだ。

マクドナルドが進出した国同士が戦争を起こさないのではない。むしろマクドナルドが戦争を起こすような国から立ち去る時代を迎えているのだ。

一方で、この話には別の側面もある。

たとえマクドナルドに去られたとしても、隙間を埋めるようにして模倣したチェーン店が現れてくる。地元の人たちもある程度まで、その味に満足していくのかもしれない。

２０１９年に私がドネツクで見聞きしたことは、３年後のロシアで起きている。食生活の面でも「２０１９年のウクライナ」と「２０２２年のロシア」が一つの線でつながっていた。

ウクライナ東部紛争で死亡したウクライナ軍の兵士たちの肖像　リビウ

第7章 引き裂かれた東と西

2019年3月上旬
@ドネツク、西部リビウ

ドネツクを出た後、私は一度、港湾都市のマリウポリに戻ってから、個人的に雇った運転手の車に乗り込み、南西部の主要都市オデッサに移動した。この地を取材してから夜行列車で12時間かけて、西部最大の都市リビウへと移る。

石畳の道が続くリビウは、風格のある教会が並び、東欧諸国の都市のような雰囲気を漂わせている。街を行く人々もポーランド人に似た顔立ちが多い。リビウに先立ち、私が訪れたウクライナの5都市（キーウ、シンフェロポリ、マリウポリ、ドネツク、オデッサ）とは明らかに風情が違っている。

リビウに先立ち訪れた都市の日常会話では、主にロシア語が使われている。ところがリビウでは、ウクライナ語一辺倒の世界に様変わりする。駅から乗ったタクシーの運転手も、簡単な数字ぐらいしかロシア語は分からなかった。中には露骨にロシア語で話すことを拒む人もいるぐらいだ。

ウクライナ国内でもリビウは特にソ連領だった歴史が短い。私が訪れた他の都市では多かれ少なかれ、帝政ロシアやソ連の匂いが残されていたが、リビウではほとんど感じられない。この点でも赴きが異なるのだ。

ロシアへの敵対心

ウクライナのルーツとなるキエフ・ルーシが13世紀に滅びるころ、西ウクライナを中心にしてハーリチ・ボルイニ公国という国が興り、中心都市のリビウも誕生した。中世以降のリビウはポーランド王国領だったが、18世紀に当時のオーストリア帝国領へ組み込まれる。第一次大戦直後には、西ウクライナの独立運動の勢力が独立を宣言したが、ポーランドの支配下に入った。1939年にソ連がナチスドイツと結んだ密約に基づき、リビウを占拠したが、2年後の独ソ戦の開戦に伴い、ナチスが占拠してきた。ソ連は44年にこの地を奪還すると、91年の連邦崩壊まで統治した。

このように支配者がめまぐるしく変わる歴史を体験してきた。

リビウ市内の教会

ウクライナ国内でもクリミアやドンバス地方は、長い時間をかけてロシアに同化した側面が強い。それとは対照的に、リビウでは言語をはじめとして、ウクライナ的な要素が多く残されている。さらにハーリチ（英語名ガリツィア）と呼ばれる地方を特徴づけるのは、時の支配勢力に抵抗してきた歴史といえる。ポーランド領の時代も、第二次大戦と前後してソ連領に組み込まれてからも、激しい独立運動が繰り広げられた。

このような歴史を持つことから、ロシアへの敵対心が相当に強い。中心部の広場でたたずんでいた市民と話をすると、そのような感情が鮮明に伝わってくる。

ＩＴ企業を営む男性のボロディーミル（36）は次のように語る。

「これまでロシアはずっとウクライナ政治に干渉してきたが、すでに影響力を失っています」

だからこそ失地回復を目指してプーチン政権が東部で軍事介入を続けていると指摘する。

「ロシアのプロパガンダを信じている人が多いのですが、いま起きていることは内戦なんかじゃありません。ロシアは悪魔ですよ。自分の国には繁栄をもたらしていません。たとえ今起きなくても、１００年後までにロシアが分裂すればいいのです」

ボロディーミルはロシアへの怒りをあからさまに表した。つい2日前まで滞在していたドネツクでは、これでもかというくらいにロシアへの賛辞やあこがれに近い発言を聞いてきた。同じウクライナにいながらも、住民の対露感情の違いの大きさに驚かされる。

世論調査機関レイティングがこの年の6月に発表した調査では、ウクライナ全土の回答者の65％が「ロシアは侵略者である」とみていたが、こと西部になると86％に達している。一方で東部では36％にとどまっているのだから、東西の対露感情の違いが如実に表れている。

ウクライナ東部ではソ連時代に郷愁を抱き、ロシアに親しい感情を抱く高齢者が多かった。一方でリビウに来てみると、この世代でもロシアに対する負の感情をむき出しにしてくる。

「全てはプーチンの仕業です。ヒトラーのように、かつての領土を取り返そうと決意したのです。ロシアはあんなに広い土地を持っているのだから、ウクライナ領土の一部なんて必要としていないはずです」

私は当初、別の女性と会話をしていたのだが、こう話すビクテ（60）が会話に割り込んできた。

「これは本物の戦争です。ロシアがウクライナを破壊しようとしているのです。クリミアは占拠されてしまい、他の地域も壊されようとしています。プーチンのせいで多くの国民が命を失っています。彼が死ぬべきです」

リビウでは心の底からロシアを嫌う人が少なくなかった。

対露抵抗を象徴する人物とは

リビウ市内にはその複雑な歴史を象徴する人物の銅像が建てられている。

ステパン・バンデラ（１９０９～59年）は、第二次大戦と前後して、西ウクライナで独立運動を率いた指導者だ。

ウクライナ独立運動の指導者ステパン・バンデラの像、リビウにて

ポーランド領だった1920年代に独立運動に参加し、30年代中頃に逮捕・収監された。第二次大戦の開戦後、ナチスがポーランド西部を占拠したことにあわせて解放された。そしてソ連に占領された西ウクライナを独立させるために、ナチスと手を組んだ。

しかし蜜月は長続きせず、今度はナチスに収監された。バンデラは1944年に連合軍の手で解放された後、ウクライナ西部でのソ連に対するゲリラ活動を指揮した。だが1959年、当時の西ドイツ領に住みながらもソ連国家保安委員会（KGB）の構成員に暗殺された。

その活動への評価は大きく割れている。ソ連はバンデラについて「ナチスに協力したファシスト」と非難し、後継国となったロシアもウクライナの極右勢力を「バンデラ主義者」と呼ぶなど、ファシストの代名詞のように扱う。

バンデラを非難するのはロシア政府にとどまらない。ナチスと協力しユダヤ人虐殺に加担したことから、イスラエル政府も非難している(1)。

ところがウクライナ西部に来ると評価がガラリと変わる。バンデラ像が立つリビウの広場で市民に尋ねると、擁護する声が返ってきた。先ほど登場した女性のビクテは次のように語る。

「バンデラは司祭の息子に生まれました。彼は愛国主義者であり、ならず者ではありません。一般市民には銃を向けませんでした」

先ほど紹介したボロディーミルも、ロシアがプロパガンダの一環として、バンデラ批判を続けてきたと唱える。

「やつらはバンデラを象徴的に自分たちのプロパガンダのために批判しているのです。彼はウクライナに自由をもたらそうとした指導者だったのです」

この2人の発言がリビウ市民の声を全て反映しているわけではないだろうが、一般的な心情が伝わってくる。

ただし複雑なのは、バンデラの評価をめぐり、ロシアとウクライナが相いれないだけではない。その存在がウクライナ国内でも西部と東・南部の分断を助長してきた点だ。

2004年に起きた抗議運動「オレンジ革命」を経て大統領に就いたユーシェンコは、西部を支持基盤としていた。就任後は支持率が低迷していたこともあり、2010年にバンデラを「ウクライナの英雄」として顕彰した。ところがドネツク出身のヤヌコビッチが大統領に就くと、その決定を覆した。[2]

２０１４年2月、ヤヌコビッチは前年秋から続いた抗議運動に耐えきれず、国外逃亡の道を選んだ。極右勢力も抗議運動に参加した点を取り上げ、東部や南部では「違法に権力を奪われた」との見方が根強い。ドネツクに住む40代の女性は抗議運動について「バンデラ主義者の仕業だった」と糾弾していた。

ロシア軍部隊が２０１４年2月末にクリミアの議会などを占拠する前日に、ロシア系とクリミア・タタール人らの衝突が起きていた。第3章では、この衝突に参加していたロシア系住民の男性の証言を取り上げたが、相手側にはクリミア・タタール人だけではなく、ウクライナの民族主義者が加わっていたと主張。「やつらはバンデラの旗を振り、バンデラをたたえるスローガンも叫んでいました」と話していた。長い間、バンデラはウクライナ民族主義者のシンボルとされてきたのだ。

世論調査機関レイティングが２０１４年5月に発表した調査結果では、バンデラの歴史的な評価について、ウクライナ全体で48％が否定的に見ており、肯定的に見る31％を上回っている。特にドンバスでは否定的な評価が79％に上り、肯定的な見方は3％にとどまる。ところが西部になると、76％が評価する一方で、否定的な見方は12％となり、ほぼ正反対の数字が出ている。

参考までに他の地域を見てみると、否定的な見方は北部で40％、中部で39％となるなど、西部でのバンデラへの評価が突出している。明らかにその存在がウクライナの東部と西部を揺さぶり続けた。

報復合戦を呼んで

独立後のウクライナでは、「東・南部」と「西・中部」を基盤とする政治家が交互に権力を握ってきた。ところが２０００年代に入ると、政権交代は競争を促すのではなく、むしろ報復合戦を招くようになった。

「東」のヤヌコビッチが２０１０年の大統領選に勝利すると、中・西部から支持を得ていた対立候補のユリヤ・ティモシェンコは翌年に職権乱用罪などで収監された。そしてヤヌコビッチ政権が２０１４年に崩壊すると、最高会議（議会）では親欧米派が中心となり、東・南部の主要言語であるロシア語を巡り、その地域の公用語であると定めた法律を破棄しようと試みた。

この動きはロシアがクリミアへの武力介入に踏み切り、ドンバス地方をウクライナから引きはがそうとする際に、格好の口実を与えてしまった。

特にマイダンと呼ばれる２０１３～14年のヤヌコビッチ政権への抗議運動について、リビウとドネツクの人々では捉え方が１８０度違っている。

リビウ在住の男性ボロディーミルは、マイダンについて次のように語る。

「リビウから多くの人が参加しましたし、私自身は２度も足を運びました。これは人々の声を聞かなかったヤヌコビッチ政権に対する意識の高い抗議運動でした。ロシアに対しても、我々のナショナリズムを見せつけたのです」

マイダンが自発的に集まった人々の声の結晶体だったと唱える。

一方でドネツクに住む35歳の男性ウラジーミルは、マイダンの意義を全面的に否定している。「マイダンを許してしまいましたが、本来ならば、早い段階で止めておくべきでした。あのような事態を許さなければ、何も起こらなかったと思うのです」

65歳の男性ビクトルもマイダンを非難する点では変わらない。

「今のような事態になったのはマイダンとウクライナ政府が悪いのです。直後から（我々に対する）懲罰的（ちょうばつてき）な戦闘が始まったのです」

もちろん、これらの発言は一方的だ。ロシアが強行したクリミアの併合やドンバス地方での騒乱に触れておらず、全ての責任をマイダンや参加した人たちに転嫁している。

それでもドネツクの人々がマイダンの発生を受け、自分たちの国が奪われたと捉えた点は留意しておかなければならない。特にマイダンでは、極右政党「自由」や極右団体「右派セクター」が中心となり、治安機関の弾圧に対抗したことから、その暴力的な側面が問題視された。「自由」は２０１２年10月の最高会議（議会）選挙で野党第３党に躍り出ている。選挙前にも

「自由」が準軍事組織の訓練を積んでいるとのうわさも流れていた。私は党幹部を取材した際に、その質問をぶつけてみたのだが、ニヤリと笑われていなされた経験もある。マイダンが起きる前から、ウクライナの極右政党や団体の暴力性を問題視する向きがあったのだ。

リビウに拠点を置く調査機関「ソシオインフォーム」が２０１８年12月に実施した調査でも、ウクライナ国民のマイダンへの評価が割れていることが分かる。[3]

マイダンについては「今でも支持している」が31％、「ずっと支持していない」が28％、「以前は支持していたが、現在の評価は定かでない」が27％、「当時は支持していなかったが、今は必要だったと認識している」が４％――となっている。

当然ながら、東と西では正反対に評価されている。

「今でも支持している」は西では48％に達するが、東では13％に過ぎない。「以前は支持していたが、現在の評価は定かでない」との回答は、西で31％だが、東だと16％だ。さらに「以前も今も支持していない」との答えは、西では９％に過ぎないが、東だと44％を記録している。

同じような傾向は中部と南部でも見られる。中部ではマイダンを評価しているが、南部では否定的な見方で占められている。

このようにバンデラを巡る歴史問題や、ヤヌコビッチ政権を崩壊させたマイダンの評価を見ても、西と東の住民の間には明確な違いが残されていた。それが論争にとどまらず、ロシアが仕掛けた形とはいえ、東部の戦争で同じ国民が武器を向け合う事態を呼んでいるのだ。

家族に走る亀裂

２０１４年に起きた混乱とロシアが始めた戦争は、ウクライナ国内で家族や親族の仲も切り裂いている。

リビウに来る数日前、私は「ドネツク人民共和国」の兵士の墓地を取材していた。冷たい風が吹き付ける中、お墓に花を手向けて、涙ぐんでいる女性を見かけた。

アーニャという35歳の女性に話を聞いてみると、亡くなったのは武装勢力で小隊長を務めていた夫ワシーリーだという。享年40歳。もともとは中部ビンニツァ州で獣医をしていたが、２０１４年にドネツクで争乱が起きると、自分の目で何が起きているのかを確かめようとして、この地に来た。

その後にどのような経緯があり、どのような出来事を目にしたのかは定かでない。ワシーリーは「ロシアによる侵略ではない」と結論づけ、武装勢力に加わる。もともと狩りが得意だったこともあり、武装勢力の小隊長を務めるようになった。

しかし２０１８年5月に狙撃されて亡くなり、妻のアーニャが墓参りをしていたのは9カ月がたったころだった。

「いつまでも、ここに通い続けるのはよくないのかもしれません。家賃を払っていくためにも、ちゃんと仕事も探さなければならないのですから」

こう断りを入れながらも、アーニャは夫の死を悲しみ続けた。

「世界で一番優しい男性でした。寂しくて、寂しくて仕方がないのです」

まだまだ途方に暮れていた。

アーニャにとっての悲劇は3人の子どもを残し、夫に先立たれただけではない。夫の家族は、武装勢力に加わったことへの理解を示さず、親族間に亀裂が走ったという。

「ウクライナには家も土地も残してきたのです。それでも夫の父や兄弟から拒まれてしまい、あそこにも頼れる人はいないのです」

ただただ涙に暮れるだけだった。

「私はドネツク人民共和国にはいい感情を持っています。ここの地も気に入っています。それでも戦争は本当に必要ありません」

残された東西対立

ウクライナ西部の人たちがこのような発言を聞いたら怒り心頭に発するだろう。ロシアが介入しなければ、このような戦争が起きなかったはずだ。それなのに、なぜ武装勢力に加担している者たちが「戦いは必要がない」などと言えるのかと。

だが、これは善悪に関係なく、ドネツクに住む多くの人が抱く思いなのだ。アーニャのように「キーウの中央政府が戦いを始めた」と信じる人はけっして少なくない。

リビウの広場で話を聞いたガリーナ（50）も家族に起きた断絶を打ち明ける。

25歳の次男はウクライナ軍の空挺部隊に加わり、東部の戦闘に参加し、除隊した今では「とても残酷で多くを失った」と漏らしているという。そしてモスクワに住む30歳の長男と仲たがいしてしまった。

「戦争なんてするものではありません。今は誰を非難すればいいのかが分からないのです。すぐにでも収束して、息子たちが和解することを願うだけです。きっと戦争は終わると思います」

ガリーナは苦しい胸の内を打ち明けてきた。

国際的規範からすれば、ウクライナでの戦争はロシアに全面的な責任がある。だが現実の問題として、侵攻を受けているウクライナの人々の間にも亀裂が走っている。そして人々は明快な解を見つけられず、苦しみ続けていた。

これが引き裂かれたウクライナの悲しき現実である。

私はクリミアでの取材後には怒りを感じ、ドネツクでは絶望感を覚えた。そしてリビウでは深い悲しみを感じている。

リビウからキーウ行きの列車に乗る際、駅舎の壁を見上げると、往時のウクライナ全土の鉄道路線図が飾られていた。今では列車が走っていないクリミアやドネツクまで延びている地図を目にすると、いたたまれなくなった。

ソ連が崩壊した後のウクライナは一つの国になったし、今でもそうあり続けるべきだ。

しかし長く続いた東西対立が傷口となり、そこからロシアの侵入を許してしまった。5年も続く戦争で国内の亀裂も深まり、修復できる見通しが立っていなかった。

ゼレンスキーが生まれ育った集合住宅

第8章 ゼレンスキーの登場

2019年2〜4月
@キーウ、東部クリボイログ

２０１９年3月にウクライナ各地を回っていた私は、この国に登場した新たな主役の存在を強く感じていた。この月に予定している大統領選に出馬し、有力候補に躍り出たゼレンスキーである。

ゼレンスキーは１９９０年代からコメディーユニット「クバルタル95」で活動し、旧ソ連圏では広く知られるコメディアンである。２０１８年12月、大統領選への出馬を宣言すると、世論調査でトップをひた走った。

なぜ政治経験のないコメディアンが人気を博したのか。ロシアが介入してきた東部の戦争が5年も続く中、国内では大統領のポロシェンコをはじめとして、既存政治家への失望が広がっていたことがある。そこで知名度が高く、東部の戦闘の収束を訴えたゼレンスキーに期待が集まる構図が生まれた。

これはポピュリスト政治家が躍進する典型例といえるのだが、ゼレンスキーがユニークだった点がある。それは彼が主役を演じたテレビドラマが、大統領の誕生に道筋をつける内容だったことだ。

「国民のしもべ」と名付けられた番組では、一介の高校教師がひょんなことから大統領選に出馬すると、あれよあれよという間に当選を果たす。その背景には既存政治家への強い不信感があった。まさに現実を先取りしたドラマが放映されていたのだ。

改革は進んだのか

多くのウクライナ国民から反発を受けたポロシェンコ政権だが、その実態はどうだったのだろうか。

2014年5月の大統領選で当選したポロシェンコは、多くの分野で改革を約束した。かつてウクライナでは地方自治体が一度、税金を中央政府に納め、その上で中央政府から予算を受け取っていた。この点、地方政府が徴収した税金を自分たちの予算として計上できるようになり、地方分権が進んだといわれている。

また大統領府副長官のドミトロ・シムキフは2017年6月に私のインタビューに答えると、ウクライナ国民が欧州連合（EU）へビザなしで訪問できるようになったことや、軍改革が進んだことなども成果としてあげていた。

ほかにも観光分野でもビザのオンライン申請を受け付けるなど、各種の行政サービスも向上したと聞いている。またポロシェンコ政権が改革の痛みとして電気やガスの料金を値上げしたことから、国民の反発も買っている。だから改革が全く進んでいないわけではない。

1月に発表された世論調査機関レイティングの調査でも、ポロシェンコ政権の功績については、軍の改革、ウクライナ語による情報の発信、警察改革などが評価された。一方で改革が進んでいない項目としては、最高会議議員の特権廃止、政界における新興財閥（オリガルヒ）の影響力排除、大統領の弾劾などが挙げられている。

以下、時計の針を少し戻して、2月下旬にキーウの街中で取材した人々の発言を紹介してみよう。

「ポロシェンコは過去5年でウクライナを壊し、めちゃくちゃにしました。結果として、国は堕落して、大混乱になっています。彼はロシアとヤヌコビッチのせいにして、内戦への道を開いたのです。2期目を続けさせるわけにはいきません」

こう語ったのは広告業界で働くイゴール（45）だ。

「汚職はずっとはびこっています。それでも私は誰にも賄賂を渡さないようにしています。5年前の選挙ではポロシェンコに票を投じました。実業家として十分な蓄えがあるのだから、人の財産を盗まないと信じていたからです。ところが彼の資産は200倍にも増えているのです。彼が何もしなかったとまでは言いませんし、前進させた点もあります。東部の和平も訴えてきましたが、今回は投票しません」

鉄道業界で働くアントン（32）はこう語る。

「我々はもともとルガンスク州に住んでいましたが、もう5年も戻っていません。大統領の言葉を信じて、おいと一緒にハリコフ州に2週間ばかりのつもりで避難しましたが、そのまま住み続けています」

「ガス代も電気料金も上がるばかりです。今の政権は約束を実行していません。その点について謝罪していますが、十分ではありません。大統領選でどの候補に投票するのかはまだ決めていません。それでも汚職の根本に手を突っ込み、戦時政権を運営できるような候補に投票するつもりです」

こう話したセルゲイとナデジュダ夫妻は共に72歳になるという。ゼレンスキーに票を投じるつもりはないと言い切っていた。

「どんな改革が実現しているというのですか。ほとんど前進していません。一般国民はもう我慢できません」

建設業で働くウラジーミル（46）はこう話す。それでも大統領選ではポロシェンコに投票するつもりだと打ち明けてきた。

「ゼレンスキーは優れた舞台芸術家です。彼は私と同郷です。それでもゼレンスキーには投票しません。ポロシェンコは優れた人物ですし、国際社会でも知られています。だから彼に投票します」

この時にキーウで話を聞いたのは十数人だったが、総じてポロシェンコ政権への失望や怒りの強さが感じられた。一方でゼレンスキーが圧倒的な支持を得ているとの印象も強くなかった。それでも3月31日に投票日が迫った大統領選は、このコメディアン出身の候補を中心に動いていたのだ。

参謀はかく語りき

私は3月中旬にキーウに戻ると、迫り来る大統領選でトップを走るゼレンスキーの選挙対策本部を訪れた。

大統領選の投票日を3週間後に控え、選対本部のガラス窓には、最新の世論調査の数字が書き込まれていた。この日はゼレンスキーが32％で首位を維持し、ポロシェンコの17％、ティモシェンコの15％に大きく差をつけていた。

しかし、最初の投票でどの候補も過半数を得なければ、上位2候補の決選投票で勝負を決する。今の数値を維持すれば、ゼレンスキーは首位を守れるが、決選投票で再度、勝負を決しなければならない。

この情勢を選対本部長のドミトリー・ラズムコフはどう見ているのか。

「残念ながら、どのような戦略で臨むのかは話せません。我々は最大限にオープンで、公正な選挙戦を続けてきました。通常の選挙ではジャーナリストとのインタビュー用の場所も用意するものですが、我々はここでしか活動していません」

確かにラズムコフが話すように、ゼレンスキーの選挙戦は普通と違っていた。そもそも候補自身がほとんど選挙キャンペーンに参加していないから、取材機会がほとんどない。ゼレンスキーが所属しているコメディーユニット「クバルタル95」の公演がキャンペーン代わりになっていた。他の国でもこんな選挙戦は聞いたことがない。

ゼレンスキーの選対本部のガラスに書かれた最新の支持率調査の結果

ポスターにはゼレンスキーの顔写真も載せていない。

「春になれば、誰が盗んだのかが分かるだろう」

緑色のポスターには、このような文言が書かれているだけだ。春の大統領選を経て政権交代が実現すれば、これまでの汚職の実態が判明していくだろう。このような意味の標語が書かれている。つまりゼレンスキーこそが改革派の候補であるとアピールするだけなのだ。

従来のウクライナ大統領選では、特定の地域に根ざした候補が対立してきた側面が強かった。ところがレイティン

ゼレンスキーの大統領選の選対本部長ドミトリー・ラズムコフ

グが3月下旬に発表した支持率調査では、ゼレンスキーがウクライナ国内を8地域に分けたうち、リビウを中心としたハーリチ地方を除いた7地域でリードしていた。

「ゼレンスキーはほとんどの地域で十分な支持を得ています。ウクライナ政治の歴史の中でもユニークな候補だといえるでしょう。ポロシェンコもティモシェンコも政治エリートですが、ゼレンスキーはシステムの外にいる候補なのです」

選挙参謀のラズムコフは、ゼレンスキーが既存の政治家でないからこそ、今回の選挙戦を有利に運んでいる点を強調してみせた。

信じる若者たち

ゼレンスキーの選挙対策本部では10人近くの若者が働いていた。どのような思いから選挙活動を手伝っているのかを尋ねてみた。

22歳のディアナは陣営のチャットに来た問い合わせに返答している。ゼレンスキーをロシア語のファーストネームで「ウラジーミル」と呼んでいた。

「ここで働いて1カ月半になりますが、ウラジーミルと共に国の制度を変えたいのです。ここの仕事は全てオープンですし、透明性も確保されています」

　ポロシェンコやティモシェンコという対立候補についても尋ねてみた。

「彼らが古い政治家だとは思っていません。むしろ我々のチームが新しいアプローチを取り入れているのです。他の陣営は今でもキャンペーンのチラシやパンフレットを作っていますが、我々はソーシャルネットワークを駆使して、もっと速いスピードで情報を出しているのです。我々のやり方は驚かれているようですが」

　3週間後に迫った投票日に向けても自信満々の様子だった。

「私はウラジーミルを信じていますし、これまでの統計も信頼しています。有権者は我々を支持してくれるでしょう」


　陣営のフェイスブックの書き込みを担当しているのはアルチョム（23）だ。

「ウラジーミルが唱えている原則に賛同しています。彼はこの国を変えようとしていますし、この国を一新して、政府の陣容も変えるべきです。私はこのチームに参加している若い人たちと考えを共有しているのです」

　陣営で働き始めて2カ月になるアルチョムも、既存政治家に失望してきた一人だった。

「ウラジーミル以外の候補はすでに政府で仕事をしてきた政治家です。私はこれまでの結果に満足していないし、彼らがどの程度の能力なのかも判明しています」

ゼレンスキーの大統領選の選対本部で働くスタッフたち

その上でゼレンスキーと共に新たな国造りに臨む思いを打ち明ける。

「新しい政府で、新しい動きを作り出し、新たな機会を設け、国を変えていきたいと思っています」

ゼレンスキーを支持しているのは若い世代だけではない。アルチョムはそう指摘する。65歳の祖母はインターネットで情報を検索した結果、ゼレンスキーに投票すると約束しているという。

レイティングの調査でも、ゼレンスキーは10〜20代、30代、40代の支持率調査でトップに立ち、50代でも2位につけていた。さすがに60代では5位まで落ちていたが、年代別の支持でもばらつきをみせないことも強みになっていた。

故郷を訪れて

結局、3月31日のウクライナ大統領選ではゼレンスキーが30%、ポロシェンコが約16%の票を得て、4月21日の決選投票に進んだ。

3月中旬に一度はモスクワに戻った私だが、ウクライナ大統領選の取材では物足りなさを感じていた。それはゼレンスキーの選挙対策本部こそ取材したが、そこで聞いたのは自陣営からの賛辞だけで、ゼレンスキーの人柄が見えてこなかったからだ。

そこで、決選投票を前に、ゼレンスキーの故郷を訪れ、旧知の人たちにその人柄などを聞いてみることを思いついた。コメディアン上がりの候補とは何者なのか。単に既存政治家への不信感の高まりを受け、消去法で決選投票まで勝ち進んでいるのか。それとも圧倒的な支持を集めるカリスマの持ち主なのか。その秘密を探ってみたかった。

クリボイログ。東部ドニプロペトロフスク州にあるゼレンスキーの故郷は人口60万人超の工業都市である。路面電車が地下を走るという以外には、何の変哲もなく、ソ連時代の香りが漂う街である。

キーウから特急列車に乗り、揺られること数時間でゼレンスキーの故郷に着いた。

恩師が語る素顔

ゼレンスキーは父が大学の数学教授で、母がエンジニアというインテリ一家に育った。小さいころには父の仕事の関係でモンゴルで数年を過ごし、早くから外国の文化に触れている。帰国後は小学校から高校までを包括した「第95ギムナジウム」という学校に通い、この時代にコメディーユニット「クバルタル95」を同級生らと結成した。その後に地元の大学で法律を学んでいる。

クリボイログはまさにゼレンスキーの青春が凝縮している街なのだ。

私が訪ねると、ゼレンスキーを知っている。四半世紀以上も前を振り返った。

女性校長のアラ・シピルコ(61)は、ギムナジウム時代のゼレンスキーをロシア語の愛称であるワロージャと呼んで、四半世紀以上も前を振り返った。

「彼は威厳があり、積極的で、他の生徒にも精神的な影響を与えていました。ステージに立つと、度胸があり、開明的でいて、常に自分が表現したいことを把握していました。自分の考えを率直に表現する能力を持っていました。素晴らしかったと思います」

ゼレンスキーは幼いころから芸人としての才能を備えていた。シピルコによると、その才能を発揮したのは舞台にとどまらなかった。

「成績も良かったです。課題を出されたら、必ず授業の前に終わらせていました。それでも子どもですから、悪さをする時があるものです。しかし、彼に関して言えば、他人を傷つけるようなことは皆無でした」

まさに優等生である。そしてギムナジウムの時代に、コメディーユニット「クバルタル95」の核となるメンバーが集まり、ゼレンスキーがリーダーに収まった。

「彼はいつもリーダーを務めていました。ワロージャも信頼できるチームのメンバーを選んでいたから、多くのメンバーが今も残っているのです」

シピルコの話を聞いていると、ゼレンスキーは小さいころから指導者としての資質を備えていたことになる。大統領選でも知名度の高さだけを武器にして勝ち抜いたのではない。組織を率いる能力とカリスマを持っていたのだろう。

クリボイログにあるゼレンスキーの母校「第95ギムナジウム」

ギムナジウム時代の話を聞くだけでも、その片鱗（へんりん）がうかがわれた。もちろん母校の英雄であるゼレンスキーの良い面が強調されたのだろうが、その点を差し引いたとしても人柄がよく伝わってきた。

次にゼレンスキーが通った大学の恩師にも話を聞いてみた。

指導者としての素地

ゼレンスキーが通った大学は現在の名称がキーウ国立経済大だが、クリボイログに所在している。大学時代の恩師のイワン・コパイゴラは78歳になっていたが、在学中のゼレンスキーについて鮮明に覚えていた。

「大学に入ってきた時から、（勉強する）準備はできていたと思います。すでにコメディーユニットの活動を始めていましたが、ワロージャは授業を休まなかったですね」

その優等生ぶりは大学でも変わらなかった。法律を専攻していたゼレンスキーは、憲法や情報法などの授業を熱心に受けていたという。

ゼレンスキーの母校校長アラ・シピルコ

コパイゴラの説明の中でひときわ印象深いのは、ウクライナ憲法という科目でグループワークに臨んだ時のエピソードだ。このクラスでは大統領選の模擬選挙を実施したという。

「58人いた学生の中から、まずは3人の大統領候補を選ばせました。そして、候補になった学生には、選挙戦のプログラムを準備するように指示しました。その際には、ファシズムと反ユダヤ主義と民族差別を唱えてはいけないと念を押したのです。投票の結果、3人の候補からゼレンスキーが大統領に選ばれました」

大学に入ってからもゼレンスキーは周りを引きつける磁力を放っていた。勉学にも励んでいたことから、後に政界入りする素地も築かれていたことになる。

このエピソードではもう一つ興味深い点がある。プーチンはウクライナに侵攻する口実の一つとして、この隣国をナチズムから解放するためだと唱えてみせた。ところが大学時代の恩師はゼレンスキーに対し、ファシズムや反ユダヤ主義を政治利用しないように忠告していたというではないか。ましてや自身がユダヤ系であるゼレンスキーが国内で反ユダヤ主義を推し進める理由を思いつかない。

恩師のコパイゴラの証言は、ロシアの言いがかりに対する有効な反論材料になるとも思えた。

ゼレンスキーは多才な人だった。それは恩師の証言からも浮かび上がってくる。

「1990年代のロシアやウクライナでは、コンピューター科学はまだブルジョア階級の学問でした。ところが1995年に入学してきたワロージャは、コンピューターのテクノロジーを習得していたのです」

ゼレンスキーの父アレクサンドルが数学教授であり、その道に精通していたからだという。またソ連から独立して間もない時期でありながら、ゼレンスキーは英語を習得し、熱心に勉強を続けていたそうだ。

これらの証言はご祝儀的な側面もあるだろう。その点を差し引いても、ゼレンスキーの持ち合わせた才能と優れた人格や努力を怠らない性格が伝わってくる。

母校を愛して

２０１９年の大統領選に出馬した時のゼレンスキーはコメディーユニット「クバルタル95」の一員として、ウクライナ国内では広く知られていた。それでも故郷に戻ってきた時のゼレンスキーは有名人として振る舞うことなく、家族と知人を大切にし続けた。クリボイログの住民は口をそろえて語る。

ここでも大学の恩師コパイゴラの話を紹介しよう。

「彼のお父さんの誕生日は12月の終わりです。ワロージャは毎年、クリボイログに戻ってきて、一緒に祝っています。そして我々の大学にも来て、無料で公演を開いてくれるのです。彼は自分自身の力と考えとイニシアチブで、ここまで成し遂げてきたのです」

ゼレンスキーが母校も大切にし続けていたことがわかる。これは小中高時代を過ごした「第95ギムナジウム」に対しても変わらなかった。

校長のシピルコは自分のスマートフォンを取り出し、そこに収まっていた動画を再生してくれた。それはギムナジウムが２０１２年に創立50年を迎えた際に、ゼレンスキーが送ってきた祝福のビデオメッセージだった。

「私の愛する母校は過去50年間、素晴らしい功績を残してきました。50年の区切りをお祝いしたいと思います。でも、これは始まりに過ぎません」

白いTシャツ姿のゼレンスキーは２０１２年当時、普段使っていたというロシア語で話していた。

「『クバルタル95』のメンバーもこの学校で学び、最も大切なことを教えてもらいました。それは友情です」

映像の中のゼレンスキーはとてもうれしそうに、そして少し恥ずかしそうに話し続けた。

母校の50周年に動画でお祝いのメッセージを送るゼレンスキー

「私にとって『第95ギムナジウム』で学んだ日々は最も美しい日々だっただけではありません。私の人生で最も大切な日々だったのです」

このように続けながらも、未来の大統領は祝辞を締めくくった。

「この記念すべき日をお祝いしたいと思います。我々が愛し続けた学校でいてもらいたい。決して変わらないで」

まさに母校愛にあふれるメッセージだった。

私はゼレンスキーの両親が住む集合住宅の周辺でも話を聞い

てみた。

「ゼレンスキーと彼の家族とは知り合いですよ。とても素晴らしく、きちんとしていて、インテリの一家です。ワロージャは子どものころからとてもいい子で、きちんとあいさつをしてきました。ここの学校で学んで、ダンスに励んで、大学にも行きました。今でも戻ってきた時には、笑顔を見せて、『どうですか』と聞いてきてくれます」

ゼレンスキーの両親の部屋の近くに住むアンナ（67）は、一家を褒めたたえた。そして10日後に迫った決選投票についても語った。

「この5年間はいいことは何もありませんでした。決選投票ではゼレンスキーに投票します。彼が素晴らしい大統領になるのかどうかは、この後を見てみないと分からないでしょう。それでも彼が国をいい方向へ進めてくれると信じています」

ここでもゼレンスキーを称賛する言葉に満ちていた。母校でも近所でもゼレンスキーは褒めたたえられる人物なのだ。

戦争がもたらす影

東部の戦争が5年も続く中、クリボイログから出征した108人の兵士が命を落としていた。街中に行くと、戦死者の顔写真を並べたボードが立てられている。

多くの戦死者が笑顔で写っている分、かえって悲しみが伝わってくる。東部の街に来ると、この戦争がひとごとでないことが肌身に染みてくる。

ゼレンスキーの両親宅の近くに住む20代の若者2人に話を聞いてみても、次のような答えが返ってきた。

「ドンバスでの戦争では、皆が身近な人を亡くしています」

ウクライナ東部の紛争で戦死したクリボイログ出身の兵士たちの遺影

身近に感じる戦争が5年も続く中、ゼレンスキーは東部の戦争を収束すると公約に掲げていた。

「我々はゼレンスキーのような新しい指導者を求めています。彼ならば戦争を終わらせるように努めてくれるでしょう」

この2人は平日の昼間から通りでビールを飲んでいたのだが、ことゼレンスキーの話題になると真剣に答えてきた。

近くに住む70歳の男性バレンティンもゼレンスキーの両親と知り合いだという。そのうえで、東部の戦争を終わらせてもらいたいから、決選投票ではゼレンスキーに票を投じると断言した。

「ゼレンスキーはプーチンとの架け橋となり、『兄弟殺しの戦争』を終わらせると約束しています。もし彼が約束を実行できなければ、彼の父親のところに行って、その点を問いただします」

半分ふざけるように話しながらも、バレンティンは次のように続けた。

「それでも私はゼレンスキーを信じていますよ。彼はうまくやりますから」

そうなのだ。この時点でウクライナ東部の人たちは、ウクライナ政府が武装勢力や背後にいるロシアと真剣に向き合えば、停戦合意が履行されて、和平が達成できると思っていた節が強い。この3年後にロシアによりウクライナ全土が侵攻されたことを考えれば、これらの人たちはお人よしで、楽観的すぎた。

一方でゼレンスキーが大統領選の決選投票に進むころには、多くの人たちがコメディアン上がりの大統領候補に希望を見いだそうとしていた。

ゼレンスキーならば、どうにかしてくれるだろう。ポロシェンコとは違い、東部の戦争の終結に真剣に取り組むだろう。そして、なにがしかの結果をもたらしてくれるはずだ。

このような期待は、ゼレンスキーの故郷のクリボイログにも流れていた。この街の英雄であるワロージャならば、きっと平和をもたらしてくれる。なぜならば、努力の人だったワロージャは成功者であり、今度はその成功の果実を国全体にもたらしてくれるはずだからだ。そう信じていたと思える。

操り人形なのか

故郷の人たちが褒めたたえるゼレンスキーなのだが、出馬を巡り、灰色の側面も抱えていた。ゼレンスキーは純粋に世直しのために出馬したのではない。オリガルヒの操り人形ではないかという臆測も流れていたのだ。

イーホル・コロモイスキー。このオリガルヒはいわくつきのプリバト・バンクを所有するなど、ウクライナでも有数の資産家の地位を築いてきた。キーウに駐在する外交関係者の間でも「オリガルヒの中で最も会うのが難しいのはコロモイスキーだ」といわれる存在である。

コロモイスキーの関心は経済にとどまらなかった。

２０１４年にはポロシェンコからドニプロペトロフスク州の知事に任命されたほか、義勇兵部隊に資金援助するなど、政治にも深く関わった。だが２０１５年に州知事を解任されるなど、ポロシェンコとの関係を悪化させた。そのためコロモイスキーが２０１９年の大統領選で、ポロシェンコへ刺客を送ったとしても不思議ではなかった。そこで白羽の矢が立ったのがゼレンスキーだったとの噂が広まっていた。

ゼレンスキーはコロモイスキーが経営するテレビ局「1+1」で制作・放送されたドラマに出演してきた。そのドラマの一つ「国民のしもべ」は、ゼレンスキー演じる高校教師がひょんなことから大統領に就くという内容である。

深読みをすれば、コロモイスキーはウクライナ政界で自分の影響力を強める狙いから、まずは自分が経営するテレビ局で政治の素人が大統領に就くドラマを放映した。その上で主人公を演じていたコメディアンを大統領選に出馬させたことになる。あくまでも臆測に過ぎないのだが、話のつじつまは合う。

ゼレンスキーのサクセスストーリーができすぎていることは否定できない。

独立以降、オリガルヒが跋扈してきたウクライナでは、ポロシェンコのように、財閥経営者が政界で影響力を行使してきた。そのような政治の荒野に突如として現れたのが、改革派を自認するゼレンスキーだった。

コメディアンとしてはすでに国民に広く知れ渡っていることから、今さら自分を売り込む必要はない。

陣営の選挙参謀ラズムコフがアピールしていたのも、ゼレンスキーが政界のアウトサイダーという点だった。政治不信が極度に高まっているウクライナのような国において、これほど支持を集めやすい構図はない。

なぜゼレンスキーは「作られた候補」との疑いの目を向けられたのだろうか。

一つの理由としては、あまりにも巧みな選挙戦を展開していたことがある。選挙参謀のラズムコフは、自分たちの選挙戦を「オープンで公正なもの」と主張する。ただし通常の選挙戦を展開せずに、所属するコメディーユニットの公演をキャンペーンの代わりにしている手法を「公正なもの」といえるだろうか。

またポスターにゼレンスキーの顔を全く載せないなど、キャンペーンの手法もあかぬけている。決して政治の素人が練り上げられる類いのキャンペーンではない。そこでは「作られた候補」としてのゼレンスキーが顔をのぞかせていた。

依存する関係ではなかったのか

ゼレンスキーはオリガルヒ、コロモイスキーの操り人形だったのか。改革派を自認しているが、かつてテレビドラマで改革派の候補を演じたように「演技」に過ぎないのか。それともゼレンスキー自身が訴えるように、純粋に国の改革のために立ち上がった候補といえるのか。

2月末にキーウ市内で十数人の市民に話を聞いた時に、そのうちの一人はゼレンスキーとコロモイスキーの関係に疑念の目を向けていた。

「みんながゼレンスキーはコロモイスキーの操り人形に過ぎないことを知っていますよ。コロモイスキーに駆り立てられて、権力を手にしようとしているのです。コロモイスキーは好きになれないですね」

彼はあまりにもストレートな表現でゼレンスキーに疑いの目を向けていた。


ただしゼレンスキーとコロモイスキーの関係はそこまで単純ではなかった。4月にキーウで取材した政治アナリストの一人は次のように話す。

「ゼレンスキー陣営のお金の出所については知りません。コメディーユニットの活動などを通じ、コロモイスキーとは金銭的なつながりがあるはずです。それでもゼレンスキーは自分のスタッフも持っています。だから大統領に当選したら、コロモイスキーから離れようとするのではないですかね」

つまり、ゼレンスキーはコロモイスキーと一定程度の関係を築いているが、完全に依存しているわけではないというのだ。

政治評論家ボロディーミル・フェセンコは、2人の関係がもっと複雑だと指摘する。

「もちろんコロモイスキーはゼレンスキーに影響力を持っています。お金だって貸しています。

ただしゼレンスキーが操り人形だというと、誇張になってしまいます。ゼレンスキーは政治的な経験が欠けていることから、コロモイスキーに頼っている面があるでしょう。それでもゼレンスキーは『クバルタル95』の関係者を頼りにしているし、彼らが選挙戦をやりくりしているのです」

つまりゼレンスキーがコロモイスキーに頼り切っているわけではないというのだ。

当のゼレンスキー陣営はこの関係をどう語るのか。私は選挙参謀のラズムコフに尋ねてみた。

「当然ながらゼレンスキーとコロモイスキーは関係があります。『クバルタル95』はコロモイスキーが所有する『1+1』に出演してきました。ただし我々が話しているのは関係であり、依存関係ではありません」

ラズムコフとしても2人の関係を頭から否定することはできない。そこで次の点を強調して、この話題を切り上げようとしたのだ。

「これは反対陣営がコロモイスキーとの関係を結びつけようとする戦略なのです。依存しているることはありません」

この点を強調して、2人の灰色の関係の話題に幕を閉じようとした。

救世主を求めた国

ゼレンスキーとコロモイスキーの本当の関係は本人たちにしかわかり得ないことも多いのだろう。それでも次のことは言える。

ゼレンスキーは純粋に改革を志して立候補したわけではなかった。国内の有力者であるコロモイスキーの庇護（ひご）を受けながら、大統領への道を歩んでいった。「作られた候補」である点を否定できない。

オリガルヒの弊害に疲れたウクライナ国民が選んだ大統領は、皮肉なことにオリガルヒの庇護を受けた候補だった。これも「2019年のウクライナ」の現実の一つだった。

ただしゼレンスキーが完全にコロモイスキーに依存するような政治家でなかったことも確かであろう。

これはゼレンスキーが当選を決めてから3カ月後のことだが、キーウ駐在の日本人外交官の一人は次のように分析してみせた。その際に例えに出したのは、プーチンが2000年の大統領選で初当選した時、後ろ盾となったオリガルヒのボリス・ベレゾフスキーとの関係である。当選後のプーチンはオリガルヒの影響力の排除に乗り出して、自分の当選を支えたベレゾフスキーも例外扱いしなかった。やがてベレゾフスキーは英国への亡命を余儀なくされ、晩年は財産も失い、変死する。

「プーチンはベレゾフスキーの支援を受けて当選しましたが、その後はベレゾフスキーを切り捨てました。ゼレンスキーもコロモイスキーの支援を受けましたが、今は彼から独立しようとしています」

故郷クリボイログの人たちによれば、ゼレンスキーは幼いころから集団をまとめる指導力を持ち、政治や法律に関心を抱いてきた。そして、コロモイスキーというオリガルヒの庇護を受けながらも、いったん大統領の座に就くと、コロモイスキーのくびきから逃れて、独り立ちしようとしていった。

ゼレンスキーの立ち位置については、そう考えていいのかもしれない。

多くのウクライナの国民は、5年に及ぶ戦争に疲れ、はびこる汚職に怒り、明確な変化を求めていた。まさに救世主が降臨して、一夜にして国を変えてくれることを望んでいた。

ウクライナ国民が救世主の降臨を求めるのは、何もこの時が初めてではない。2014年から首都キーウの市長を務めるビタリー・クリチコは、ボクシングの世界へビー級チャンピオンという輝かしい経歴を持つ。市長就任前のクリチコが自身の政党を立ち上げた時にも、救世主として期待する声が少なくなかった。

遡れば、2004年に起きた抗議運動「オレンジ革命」でも似たような側面が見られる。

「革命」を経て、ユーシェンコが大統領に就くと、政治や経済の改革が進むのではないかと期待が高まったが、それに応えられずに終わっていた。

そして、今回は多くの国民がゼレンスキーに望みをかけようとした。そこでは、彼が本物の改革者であるかどうかは重要でなかった。多くの国民は救世主としてのゼレンスキー像を造り出し、現状から抜け出すための望みを託したかったのではないだろうか。

その点でゼレンスキーの出現は偶然ではない。この時代のウクライナだからこそ、登場してきた政治家といえる。救世主としてのゼレンスキーは、降臨を待ち望まれていたのだ。

しかしゼレンスキーの真価が問われるのは2019年の当選直後ではなかった。その3年後にロシアに全面侵攻を仕掛けられ、国が存亡の危機に立たされた際、彼は真骨頂を発揮していく。当然ながら、大統領選で大勝した時点でその先まで見通せる者はいなかった。

マイオルスク村のミハイル・サモロドスキー（左）とスベトラーナ・サモロドスカヤ

第9章 拭えないロシアの影

2019年7月
@ウクライナ東部クラマトルスク、マイオルスク村

武装勢力に占拠されて

2019年7月に私は再びウクライナ東部を訪れた。

今回の出張では当初、マレーシア航空機の撃墜事件（2014年7月）から5年がたったことを取材しようと考えていた。しかし同機が墜落した一帯を支配する親露派武装勢力は、取材を許可してくれなかった。そこでドネツク州でウクライナ政府が統治を続ける最前線を取材することに切り替えた。

その一つがドネツク州の臨時の州都が置かれているクラマトルスクだ。まずは2014年にこの都市で起きたことを振り返ってみる。

ロシアがウクライナ南部クリミアを併合してから1カ月を迎えるころ、謎の武装勢力がドネツクなど東部の各地で混乱を引き起こしていた。彼らの一群は4月12日、クラマトルスク市庁舎の占拠に踏み切った。

「初めのうちはこれが現実に起きていることとは理解できませんでした」

私がインタビューをした女性副市長のスベトラーナ・ファリチェンコ（54）は、5年前に起きた悪夢を振り返ると、表情を曇らせた。

この武装勢力は自分たちについて、ウクライナ東部の住民で構成されていると説明していた。しかしクラマトルスク市民に話を聞くと、多くのロシア人が参加していた様子が伝わってくる。

「我々は交通警察の略語を『ガイー』と呼んでいます。ところがマスクをかぶった男たちは『ギープーデーデー』と呼んでいました。この言葉遣いの違いから、すぐに彼らがモスクワやサンクトペテルブルクから来たことが分かりました」

市民の一人、ナターシャ・ボニーナ（32）はこう話す。

副市長のファリチェンコは、武装勢力の中にイスラム教徒が多いロシア南部チェチェン共和国から来たと思われる戦闘員を目にしたという。

クラマトルスクのスベトラーナ・ファリチェンコ副市長

「自分の街で戦争が起きていることを実感したのです」

少し前までは想像すらできないような事態がクラマトルスクで起きていた。

市庁舎を乗っ取ると、武装勢力はロシア国旗などを翻し、人口19万の都市を支配下に収めたことを誇示した。

当時、市議だったファリチェンコは身の危険を感じ、3人の子どもを連れて400キロ近く離れた中部の都市まで避難を余儀なくされた。

相次いだ連れ去り

前出のボニーナによると、市を占拠した武装勢力がささいな理由で市民を拘束したり殺害したりする事例が相次いだ。

16歳の少年はリュックサックにウクライナへの愛国心を示すリボンをつけていただけで捕まり、後に頭部に銃弾5発を撃たれて殺されたという。ウクライナ国旗を降ろすことを拒んだ人物が内臓をえぐり取られたという惨事も伝えられた。

評判が高かった自動車修理工は、武装勢力の拠点となるドネツクに連れ去られたまま消息を絶ったという。武装勢力は市民を拘束すると、家族に身代金を要求してきたこともあったようだ。

全ての事例が本当に起きたのか確認されたわけではない。それでもロシアが全面侵攻を仕掛けてきた後に、首都キーウ近郊で起きた残虐な出来事を踏まえると、2014年のクラマトルスクで同じようなことが起きていたとしても不思議ではない。

そもそも、このような出来事を説明したボニーナが、私に虚偽の情報をすり込もうとしていたとは思えないのだ。

やがてクラマトルスク近郊に派遣されたウクライナ軍は近くにある空軍基地の防衛に当たる

と共に、街を占拠した武装勢力を激しく砲撃し始めた。

ボニーナは両親と共に市中心部にある集合住宅に住んでいる。ソ連時代に建てられた住宅は、米国との間で核戦争が起こる事態も想定し、地下シェルターが備えられている。そのためボニーナたちは頻繁に地下に避難したが、時には近くに着弾した日もあったという。やがて兵力に勝るウクライナ軍が武装勢力を駆逐し、7月にクラマトルスクを解放した。

武装勢力による支配は3カ月程度だったが、市民の心に大きな傷痕を残した。

白い壁のイコン

私はボニーナに頼んで、5年前にしばしば避難したシェルターに案内してもらった。古くなった建物に入り、階段脇にあるシェルターの扉を開けるまでが一苦労だった。ボニーナの部屋にあった鍵を取り出して、扉を開けようとしたが、しばらく使っていなかったからなのだろう。なかなか開かなかった。

ようやく扉が開き、その内側に入っていくと、暗闇が広がっていた。目を凝らしても、何も見えない。

ボニーナは自分の携帯電話の明かりを頼りにして、我々を案内してくれる。しばらく進むと、細長い空間に長いすやベッドが置かれていた。5年前に攻撃されていた当時は、20人以上が避難したこともあったという。

それでも今ではほとんど使っていないからか、ほこりっぽくなっていた。こんな所には用がなければ、足を運びたくない。

真っ白な壁にはキリスト教の聖像画のイコンも飾られている。あまりにも味気ない所に飾られているからこそ、このイコンは奇妙な存在感を醸し出していた。何よりも、ここに逃げ込んできた人たちの切実な思いが伝わってくる。誰もが恐怖に駆られていたのだろう。そして少し前までは想像することもなかった体験に身を震わせていたに違いない。

クラマトルスクの地下シェルターの壁に掲げられたイコン

2014年の時点でソ連から独立してから23年。まさか武装勢力が自分たちの街を乗っ取るような事態を想像すらできなかったはずだ。そのうえで、友軍であるはずのウクライナ軍が放つ砲撃に恐れおののいていた。

いくら、その砲弾が武装勢力を追い払うための「正義の一撃」だからといって、巻き添えを食らえば、命を落としてしまう。この暗い空間で、辛くて、怖くて、寂しい時を過ごしていたことが容易に想像できる。

そのような空間に飾られているイコンを目にしたのは一瞬だったが、その光景が脳裏から離れなかった。

ロシアへの憧れは

なぜクラマトルスクは、武装組織に占領されたのだろうか。後になって、ウクライナ東部の占領はロシアの情報機関が中心となり計画され、実行されたことが判明している。一方でクラマトルスクの側には、このような事態を招く「隙」や「温床」があったのだろうか。

1991年に独立した後も、ウクライナは経済の構造改革を進められずに苦しい状態が続いた。そのためロシア語を話す住民が多い東部や南部では、自分たちよりも裕福で文化的なつながりの強いロシアに憧れる傾向が強かった。

ロシアはこのような感情を踏まえ、ロシア語を話したり、ロシアにルーツを持ったりするウクライナ国民に照準を絞り、自国との連帯を強めるように誘いかけてきた。これまでも取り上げてきたが、プーチン政権が唱えるルースキーミール（ロシアの世界）のプロパガンダだ。

クラマトルスクはドネツクの北方80キロ近くに位置し、炭鉱や鉄鋼業で栄えてきた。民族的にはウクライナ系が7割でロシア系は3割に満たないが、第1言語としてはロシア語を使う人が7割弱で、ウクライナ語は3割と逆転している。[1]また鉄鋼の輸出先として、ロシアとの経済的なつながりも強かった。

このような環境下に置かれていたクラマトルスクでは、多くの住民がルースキーミールの思想に引かれたのだろうか。

この点について、副市長のファリチェンコに尋ねてみると、即座にその影響を否定した。「街の人たちが自発的にルースキーミールに引かれていったことはなかったと思います。大部分の人はロシアの実態を知らないのに、(経済的に繁栄している)モスクワのような生活を送りたいと思い、ロシアに引かれていただけなのです」

住民が主体となった独立の動きはなかったと断言する。

消えない親露感情

しかしファリチェンコの話はここで止まらなかった。

2014年にロシアが支援した武装勢力による恐怖統治を体験しながらも、その5年後のクラマトルスクには親露感情が残されていた。ロシアの影響力を一掃してしまおうという動きにはつながっていないのだ。

なぜ人々はあのような恐怖を体験しながらも、いまだにロシアという引力にひかれて、あこがれの視線を送り続けるのか。

ウクライナでは2019年7月21日に、最高会議（議会）の選挙が予定されていた。最大の焦点はこの時もゼレンスキーを巡る動きだった。ゼレンスキーは大統領選出馬に先立ち、自分の政党を立ち上げていた。政党名は自分が主演したテレビドラマのタイトルをそのまま使って「国民のしもべ」としている。いかにゼレンスキーがコメディアンとしての知名度を前面に出して、政治活動を展開してきたかが伝わってくる。

4月の大統領選で7割の票を得て当選したゼレンスキーの人気は圧倒的だった。大統領当選時は最高会議で自党の議席を一つも持っていなかったが、7月になると、事前の世論調査で過半数を獲得する勢いをみせている。ウクライナという政治の荒野に降臨してきたゼレンスキーは、まだまだ救世主のオーラをまとっていた。

一方で、最高会議選のもう一つの焦点は、東部や南部を基盤とする親露派政党の「野党連合」がどこまで票を伸ばすかということであった。クラマトルスクの住民に聞いてみると、この政党への支持は少なくない。

「ゼレンスキーは大統領に就いてから、何もやっていません。（何よりも）ロシアとの関係を損ねてはいけないのです」

親露派政党に投票すると明言したエフゲニー（68）は、ロシアとの関係の重要さを訴えるついでに、就任したばかりのゼレンスキーを批判した。

5年前にこの街はロシアが支援した武装勢力に占拠される恐怖を味わった。それにもかかわらず、エフゲニーは近隣地域で続く戦闘についても「内戦に過ぎないですよ」と切り捨てる。つまりロシアの主張を受け入れていたのだ。

この点について副市長のファリチェンコは次のように語る。

「私が恐ろしいと思うのは、いまだにロシアの方角を向いている人たちがいることなのです。それも物陰に隠れて、新たなチャンスをうかがっているのです」

クラマトルスクの住民が親露派の武装勢力に加担してきたことを巡り、ファリチェンコ自身も身を切るような苦しみを味わってきたという。２０１４年に戦闘が始まると、20代のおい２人が武装勢力に参加してしまった。

その過程や理由については聞けずじまいだったが、ファリチェンコは苦しい胸の内を明かした。

「彼らは早くに父親に見捨てられたことから、私が家族のように育ててきたのですが……」

クラマトルスクが武装勢力から解放されて5年が過ぎたが、当時の傷痕が街中の建物に刻み込まれているだけではない。さまざまな面で人々の心の傷も癒えていなかった。

激しさを増す親露派の攻撃

その翌日、私は序章で紹介したマイオルスク村を訪れた。

クラマトルスクから車で1時間あまり。マイオルスク村の約1キロ先は親露派が実効支配している。まさにここは最前線の村なのだ。

快晴の日中、その方角から何度となく乾いた銃声が響き渡った。

パーン、パーン、パーン。

それでも住民たちは慣れきった様子で、爆竹が鳴っている程度の反応しか示さない。

「良くないことなのですが、銃声を恐れる感覚が鈍っています。みんな弛緩しているのです」

住民の一人、スベトラーナ・サモロドスカヤ（65）はこう話す。この月の下旬に予定されている最高会議選を控え、少し前に村を訪れた男性候補が住民と話している時だった。乾いた銃声と共に、銃弾が彼の耳元をかすめたという。流れ弾だったのか、意図した狙撃だったのかは定かではない。それでも村が日々、直面している危険を映し出していた。

狙撃手たちがその気になれば、いつでも、どこでも命を奪われる恐怖がそこにあった。

以前は銃撃や砲撃は夜間に起きていたが、最近では日中に銃弾や砲弾が飛び交うことも珍しくなくなった。私が訪れた前日の午前中も激しい銃撃に見舞われ、外出していたサモロドスカヤはしばらくの間、家まで戻れなかったと話す。

「今では、どんな時間帯でも、どの方角からでも飛んでくるのです」

まさに危険と隣り合わせである。

ゼレンスキーは大統領選で東部での戦闘停止を訴えてきたが、未だに武装勢力と背後に控えるロシアは応じる気配がない。

「むしろ攻撃は激しくなっています」

サモロドスカヤら村民はこう口をそろえる。

かつてこの村では2000人近くが住民登録していたが、長引く戦火の影響を受けて、300人程度まで減ったという。サモロドスカヤが住む5階建ての集合住宅も50世帯が住んでいたが、今では18世帯を数えるだけになっている。

この住宅の2階に住むマリーナ(31)は離婚した後に、2歳の長女ダーシャを連れて村に戻ってきた。その部屋を見せてもらうと、台所の窓の付近が銃撃されて、無数の弾痕が刻まれていた。

「この子まで銃声や砲撃音に慣れてしまったのです」

無邪気に遊ぶ一人娘を見つめながら、マリーナは表情を曇らせた。生きていくためにこの村に戻ってきたのだが、娘にとっては危険すぎる環境である。

村の周囲に埋められた地雷による被害も後を絶たないという。サモロドスカヤによると、住民が放牧中の牛を捕まえようとしたり、森を横切ろうとしたりした際に、地雷を踏んで命を落とす事例も起きている。

かつてマイオルスク村には鉄道の駅があった。しかし2014年にウクライナ軍と親露派の戦闘が激しくなると、列車の運行が止まり、線路上には貨車が取り残されていた。この方角にはウクライナ軍が駐屯していることから撮影は認められなかったが、肉眼でも貨車の一部がさびている様子が確認できた。

動かなくなってしまえば、鉄くずと変わらない。5年もの間、生活が止められた村の現状を物語っていた。

それでも一帯を管理するウクライナ軍の関係者は、マイオルスク村について「まだ状況は悪くない方だ」と話す。村には食品や雑貨を扱う商店や薬局が残され、ATMでお金を下ろせるし、駐留するウクライナ軍が破損した屋根の修理などに当たっている。近隣にはもっと頻繁に砲撃されており、わずかな住民しか残っていない村もあるという。

無残に壊れた持ち家

この後で出会ったのが、序章で紹介した3人組の女性である。

私は3人としばらく話し込んだ後、そのうちの一人のバレンティーナ・アヌフリエワ（65）の部屋まで案内してもらった。扉が開かれると、すぐに無残な光景が目に入ってきた。度重なる砲撃の衝撃で窓ガラスが激しく破損し、ベニヤ板をはめ込んで雨露をしのいでいる。戦闘が始まってからの5年間、暖房は止まったままだという。

「40年も鉄道で働いてきたのに、月額の年金は2000フリブナ（2019年当時のレートで約8500円）に過ぎないのです」

アヌフリエワは怒りを込めて話す。同じく鉄道職員だった夫は脳卒中で倒れ、今は闘病中だという。破損したガラスを修理するような経済的な余裕をなくして久しい。2人の息子は南部オデッサとモスクワ近郊に住んでおり、身近で助けてくれる人は誰もいない。

アヌフリエワはソ連時代にこの集合住宅に入居し、民営化を経て、今では自分たちの持ち家としている。

「ここから出ていった方がいいと勧告されています。でも我々高齢者は今更部屋を借りるようなお金を持ち合わせていない。どこへ行けというのでしょうか」

アヌフリエワは一緒にいた隣人2人と声をそろえて嘆いた。

武装勢力から度重なる砲撃を受けて、部屋の窓は著しく破損していたが、この女性3人は「誰がいけないのか分からないのです」と困惑している。そうかと思うと、非難の矛先をウクライナの政財界を牛耳ってきたオリガルヒに向け始めた。

「これはオリガルヒ同士の戦争なのです」

5月まで大統領だったポロシェンコは多角的に事業を営んできたことで知られている。

「ポロシェンコは今でもロシアで事業を続けているし、オリガルヒの一人なのです。大統領だった5年間に、国民のためには何もしなかったのですから」

女性たちは4月の大統領選の決選投票でゼレンスキーに票を投じたというが、それから3カ月もたっていないのに、新大統領もこき下ろしている。

「ゼレンスキーは公約を実現しようとしない。もう信じられないですよ」

バレンティーナ・アヌフリエワが住む集合住宅では多くの窓が破損していた（毎日新聞助手が撮影）

東部での戦闘停止を訴えてきたゼレンスキーは、就任後に東部の前線も視察しているが、女性たちは全く評価する気がない。

結局のところ、彼女たちは親露派の政治家を支持し続けているのだ。大統領選の決選投票でゼレンスキーに投じたと話していたが、その時は対立候補のポロシェンコを毛嫌いしていただけだったのだろう。

10日後に控えた最高会議選では、親露派政党の「野党連合」に投票すると打ち明けてきたが、それまでの彼女たちの発言を踏まえると、当然なのだろう。

住民の感情は変わらない

ウクライナ政府はドネツクの親露派武装勢力を「テロリスト」とみなしているが、女性たちはこのようなウクライナ政府の姿勢に批判的だ。

「今のように無制限に撃ち合う状態を終わらせるには、何らかの合意が必要なのです」

こう話す女性たちは、子どもや親戚が親露派勢力の支配地域に住んでいるという。

例えばタマラ・アキモワ（63）は、47歳の一人娘と孫が親露派の支配地域にあるゴルロフカという都市に住んでいる。ウクライナ側と親露派組織の支配地域を移動するためには、チェックポイントで何時間も待たされるが、今も往来が盛んだという。

「住民同士の感情は何も変わっていません」

3人はこのようにも口をそろえた。

なぜ女性たちは不可解とも思える発言を繰り返したのだろうか。

帝政ロシアが18世紀後半までにウクライナ東部や南部を自国領に組み込むと、多くのロシア人が19世紀後半からドンバス地方に移住し、重工業の発展に寄与した。ソ連時代もロシア人の移住が続き、今でも都市部ではロシア語を第1言語とする住民が多い。この日に話を聞いた3人の女性も例外ではなかった。

「若い人たちは違うかもしれないが、ソ連時代に生まれ育った私たちにしてみれば、ロシアとウクライナを切り離すこと自体があり得なかったのです」

アキモワはこのような思いを明かす。

「私の息子や親戚はロシアに住んでいます。だから隣人であるはずのロシアと切り離されることは受け入れられなかったのです」

アヌフリエワもこう語る。

つまりソ連が崩壊し、ロシアとウクライナが別の国に分かれたこと自体が問題だったと唱えて、譲らないのだ。

この時点でソ連崩壊から28年がたっていたが、彼女たちの中では時計の針が止まっていた。自分たちは昔からウクライナ系や他の人種とも仲良くしてきたと信じ切っており、ソ連時代こそが多人種が共生した理想の時代だと疑っていない。繰り返すが、彼女たちは、ソ連が崩壊し、ロシアとウクライナが別々の国へと分けられたことこそが紛争の元凶と考えているのだ。

まさにプーチン政権が唱えるルースキーミールの思想と重なってくる。だから私がプーチンについて尋ねると、アヌフリエワは奥歯にものが狭まったような答えしか返してこない。ウクライナの政治家はこき下ろすが、プーチンやロシアへの批判は徹頭徹尾、避けていた。

「特別な関係」が終わりながら

マイオルスク村でもう少し若い人たちに尋ねても、親露派やロシアへの直接的な批判はついぞ聞かれなかった。

「戦争が終わってほしいと願っています。それでも戦争によってもうかる人たちがいるのだから、終わらないのでしょう」

47歳のナターシャもウクライナ側で戦闘の継続を望んでいる勢力がいると信じていた。

58歳のミハイル・サモロドスキーはもっと極端な考えをしていた。ウクライナ軍には金銭的な報酬を受けている契約兵が少なくないと指摘したうえで、次のように話す。

「ウクライナ兵はあちらこちらにかまわず銃撃するだけで給与をもらっているのです。彼らへの給与の支払いをやめれば、戦闘はすぐに終わるはずです」

つまりマイオルスク村に砲撃や銃撃を仕掛けているのは、友軍であるはずのウクライナ軍であると信じ切っていたのだ。

長年にわたって歴史と文化を共有してきたロシアとウクライナだが、プーチン政権が２０１４年にクリミアを併合し、さらに東部紛争へ介入を始めたことにより、国単位での「特別な関係」は終わりを迎えようとしていた。

それでもウクライナ東部の最前線を訪れてみると、多くの住民の心は「東」に向いていた。長い時間をかけて築かれた親露感情はなかなか消えることがなく、人々の発言もぶれていなかった。

浸透する「ロシアの世界」

２０１９年の春、クリミアを取材した際には、ウクライナを裏切ったうえに、勝者の正義を掲げる者たちに怒りを感じた。その後で訪れたドネツクでは、自分たちの土地に戦争を持ち込まれながらも、多くの人たちがロシアに好意的な状況に絶望を覚えた。そして、その後に足を運んだリビウでは、かつて一つの国だったウクライナが切り裂かれている現状を目の当たりにして、深い悲しみを覚えた。

その４カ月後に訪れた東部のマイオルスク村で、私は困惑し続けた。論理的に考えようとしても、どうしても明快な答えを導けない。

なぜ毎晩のように、ロシアが支援する武装勢力が放つ砲弾の衝撃に揺さぶられながら、彼らの視線はロシアに向けられているのか。なぜロシアが唱えるプロパガンダを信じ続けるのか。クラマトルスクの例を見れば分かるように、武装勢力はウクライナからの独立を後押しするような解放者ではなく、暴力集団だったことは明白である。そんなことは分かりきっているはずなのに、マイオルスク村の人たちはこの武装勢力を信じようとしていた。

ここで紹介した3人の女性たちがロシアや武装勢力を信じようとするのは、ある意味で仕方がなかった。彼女たちの心はソ連時代をさまよい続けていたからだ。古き良き時代の祖国は米国と覇権を競い合い、彼女たちの誇りだったのだろう。

ソ連時代のウクライナ共和国では、彼女たちロシア系住民が大手を振って歩けたはずだ。彼女たちにとっては、ウクライナ共和国への帰属意識は希薄であり、重要なことではなかった。ソ連に住んでいたこと。ロシア語を話すこと。民族的にはロシア系であること。これがアイデンティティーであり、30年近くがたち、自分たちが住む村が戦場の最前線になりながらも、彼女らの意識は変わらなかった。

世論調査機関レイティングがこの年の8月に発表した調査結果では、ウクライナ国民に自身のアイデンティティーを尋ねたところ、ウクライナ全土では65%が「ウクライナ国民」と回答し、「ソ連国民」は8%にとどまっている。

しかし、年齢別で見ると、当然ながら中高年の方がソ連への帰属意識が高く、51歳以上だと13%が自分たちを「ソ連国民」と考えているのだ。36〜50歳だと8%まで下がり、18〜35歳では1%にとどまるのだから、世代による差が鮮明に出ている。

このような数字を見ると、マイオルスク村の女性3人が必ずしも例外ではなかったことが見てとれる。

ウクライナ国民のアイデンティティーは地域間でも大きな差が見られる。ドンバス地方も含めた東部に限定してみると、「ウクライナ国民」との回答は51%まで下がる一方で、「ソ連国民」は14%を占めているのだ。


ソ連の崩壊は「20世紀の地政学上の最大の悲劇」である。2005年の年次教書演説で、プーチンはそう唱えた。今になって思えば、「ロシアの世界」の再興を目指す思いは、この頃から芽生えていたのかもしれない。そしてプーチンは旧ソ連諸国に残されたロシア系の住民はロシアと共にあるべきだとの訴えを強めていく。

ドンバスを中心とした東部の住民が全面的に「ロシアの世界」の思想を受け入れていたとは思えない。しかしロシアが始めた戦争が5年も続きながらも、在りし日のソ連時代を懐かしがったり、ロシアとの連帯を夢見たりする住民は少なくなかった。

だからこそ毎日のように、ロシアが支援する武装勢力から砲弾を浴びせられながらも、マイオルスク村の住民はロシアを嫌うことがなかったのではないだろうか。

レイティングがこの年の5月に発表した調査結果では、ウクライナ全体ではプーチンに対し、65%が否定的であり、肯定的なのは12%に過ぎない。ところがドンバス地方では、否定的が32%、肯定的が30%と拮抗している。中立的にみている回答者も30%を数えている。

一歩引いて、ウクライナで2014年から起きている出来事を冷静に観察すれば、これはロシアが始めた侵略戦争であることは一目瞭然である。自分たちの住む地域を戦場にされたり、最前線の村にされたりしながらも、ウクライナ東部では多くの住民が「東」へ視線を送り続けていたのだ。

マイオルスク村の空は青く高く、空気は澄み切っていた。しかし、ここで感じた不条理に対する明快な解はついに見つけられなかった。これも「2019年のウクライナ」の現実の一つだった。

すでに燃料が処分された大陸間弾道ミサイルの一部
ウクライナ東部パブログラドの工場にて

第10章

核を捨てなければ

2019年11月
@ウクライナ東部パブログラド

ソ連崩壊の負の遺産

核兵器を巡る問題は、ソ連から独立した直後からウクライナを悩ませただけではない。ロシアから全面的な侵攻を受けている現在でも、難問として降りかかっている。それまでの過程では、米国という別の核大国の意向にも翻弄されてきた。この章では、核とウクライナの問題を追ってみる。

ソ連から独立した直後のウクライナには推計4000発以上の核弾頭が残され[1]、米国とロシアに次ぐ世界3位の核保有国に躍り出た。ソ連が崩壊して「核の遺産」が拡散されたことについて、米国とロシアは核保有国が増える事態を嫌っていた。特に米国はウクライナに圧力をかけるだけでなく、核兵器の解体に伴う費用を負担することにより、速やかに核を手放すように働きかけた。

速断を避けていたウクライナだが、欧州の安全保障体制から孤立したこともあり[2]、1994年になると、第1次戦略兵器削減条約（ＳＴＡＲＴ1）を批准し、核兵器を放棄する決断に踏み切った。ウクライナの軟化を受け、米露に英国を加えた3カ国はこの年の12月、「ブダペスト覚書」を交わし、ウクライナの独立と主権、既存の国境を尊重することを明記した[3]。この中ではウクライナへの脅威や武力行使を控え、経済的な圧力もかけないことを約束した。

この時には、同じくソ連が残した核を保有していたベラルーシとカザフスタンも放棄を誓約している。ブダペスト覚書が交わされたことにより、ソ連崩壊により周辺国に拡散した核の脅威が抑えられたことになる。１９９１年12月のソ連崩壊から３年。米国が主導した旧ソ連地域での核不拡散の取り組みは奏功したかに見えた。

度重なる約束違反

後にロシアがウクライナ領のクリミアを一方的に併合したのは、明らかな覚書への違反行為に当たる。欧米各国はロシアへ経済制裁を科したのだが、プーチン政権が一度手にしたクリミアを戻すことはあり得ない。ブダペスト覚書の合意事項をまじめに履行していたウクライナは割を食うことになった。

ソ連が残した核の不拡散を約束したはずのブダペスト覚書は、ロシアの暴走により、ただの紙切れと化してしまった。

実はウクライナにとって、核の放棄を巡る約束違反は、その前に起きていた。ソ連崩壊から10年超が過ぎた２００２年、すでにウクライナから核弾頭は撤去されていたが、解体した大陸間弾道ミサイル（ＩＣＢＭ）の燃料の廃棄作業は終えていなかった。ところが米議会は、もはやウクライナが所有していた核兵器が自国へ脅威を及ぼすことはないと判断したようだ。この年限りで、ウクライナにおけるＩＣＢＭの燃料処分に対する予算の拠出を打ち切った。そのためウクライナは自力でＩＣＢＭの燃料処分に取り組まなければいけなくなった[4]。

それでも吉報も訪れた。２００９年に米大統領に就いたバラク・オバマが「核なき世界」の理想を掲げ、国際社会での核不拡散に力を入れだしたからだ。ウクライナでもヤヌコビッチ政権が国内に残されていた軍事用プルトニウムの引き渡しを約束した結果、米国はＩＣＢＭの燃料処分に関連した予算の拠出を再開した。

ウクライナ国内で残されたＩＣＢＭの燃料処分に向けて、再び歯車が回り始めたかに見えた。

だが２０１４年にロシアがクリミアを一方的に併合したことにより、２度目の裏切りが起こる。そして３度目の約束違反を犯したのは、２０１７年に誕生した米国のトランプ政権だった。

米国一国主義といわれる外交を進めたトランプ政権は２０１８年末、再度、ウクライナに対しＩＣＢＭの燃料処分の予算打ち切りを宣告した。

ウクライナ政府は再び、自ら予算を拠出しなければいけなくなった。結局、残されたＩＣＢＭの燃料は危険でないと判断し、２０１９年限りで予算拠出の打ち切りを決めたのだ。

ソ連の崩壊により残された核の問題は完全に解決されていなかった。それなのに米国はウクライナへの支援を打ち切り、ロシアはブダペスト覚書を反故にした。しまいにはウクライナ政府自身が問題の解決を放棄したのだ。

処分が終わらない燃料

私がウクライナを訪れたのは、まさに残されたＩＣＢＭの燃料処分の予算が打ち切られる直前の時期だった。２０１９年11月、私は東部ドニプロペトロフスク州のパブログラドにある化学工場へ取材に赴いた。

ハリウッド映画に出てくるような厳重な警備を通り抜けると、私と取材助手が乗った車は工場の敷地内を進んでいった。

敷地には広大な林が隣接していることもあり、大柄な鹿や牛の姿が見られた。ＩＣＢＭの燃料が管理されている施設内で、野生の動物がのし歩いている。まさに想像を超えるような組み合わせである。

この工場の関係者によると、ソ連崩壊後、ここには54基のＩＣＢＭ「ＲＴ23」が持ち込まれ、解体作業が進められた。敷地内には二つのパーツに切り離されて、すでに燃料の処理を終えたＲＴ23の１段目が野外に置かれていた。

この一発でも敵対する国に撃ち込まれれば、世界を破滅に導く核戦争を誘発してしまう。このように危険なＩＣＢＭなのだが、解体作業を終えてしまうと、何の脅威にもならない。そのパーツがあまりにも無造作に置かれている光景を見ると、拍子抜けしてしまう。

それでもパブログラドの工場では、まだ38基の燃料処分が残っていた。私が案内された保管庫には、燃料処理を終えていないＲＴ23の１段目が置かれている。こちらは厳重に保管されているのだから、先ほど目にした処理済みのパーツとは対照的だ。

工場に残されている固体推進剤のミサイル燃料は１８００トン近くに上る。製造から30年以上が経過しており、今後、老朽化が進み、燃料が漏れるような事態になれば、周辺地域

燃料処分の作業が中断されている大陸間弾道ミサイルの一部

の環境を汚染する恐れも出てくる。

工場の別の施設では、３段目の部分が垂直に立てられたまま、燃料処分の作業が止まっていた。自国の政府に予算の打ち切りを宣告されたことから、中断に追い込まれていたのだ。

工場は24時間体制でミサイル燃料の管理を続けている。

「我々が管理を放棄するわけにはいきません」

燃料処理作業の責任者であるウラジーミル・リボフ（60）は対応の難しさを明かしてきた。

核を手放さなければ

２０１９年は冷戦終結から30年という節目の年になったが、工場長のレオニード・シュマン（60）は前向きな言葉を一つも発しなかった。

「最も大きな教訓は友人も、同僚も、戦略的なパートナーも頼れなかったということです。今後は可能な限り、他国に頼らずに重要な決定を下していくべきです」

米国が2度にわたり支援を打ち切ったことにも触れ、今後の教訓も口にした。

「途中で離脱できないような合意文書を作るべきです」

米国は１９９１年からソ連諸国に残された核兵器や危険物質の解体や処理を進める狙いで、経済的な支援を始めたのだが、残されたミサイルの燃料が自国に脅威を及ぼさないと判断すると、いとも簡単に支援を打ち切ってしまった。

まさにウクライナにしてみれば、道半ばで放り出されたのだから、工場長が口にした教訓には実感がこもっていた。結局のところ、米国にとってウクライナは遠い国でしかないことを露呈していた。

彼が取り上げた三つ目の教訓は、１９９４年のブタペスト覚書についてだ。覚書に従い、ウクライナが核兵器を放棄したのに、ロシアはウクライナの国境を尊重するという約束をいとも簡単に破り、クリミアを自国領に組み込んだ。その点を踏まえ、シュマンは衝撃的な言葉を口にした。

「ウクライナが全ての核兵器を手放したことを後悔しています。もし20～30発のミサイルを残していれば、クリミアを取られず、現在のような問題も起きなかったはずです」

核燃料の廃棄作業に関与する当事者でありながら、シュマンは核武装を続けておくべきだったと唱えている。

四半世紀前にはロシアの約束を信じて核武装を解いたのだが、ものの見事に裏切られた。しかも無抵抗でクリミアを手放してしまっただけに、ウクライナの関係者が抱く後悔の念や怒り、憤りはそれ程までに強かったのだ。

パブログラドの工場では、かつてＩＣＢＭのエンジンを造っていた時期もあった。だからこそシュマンにしてみれば、「核を手放したからこそ、ロシアの侵攻を許してしまった」との思いがこみ上げてくるのだろう。

ここではシンプルな平和主義など通用しない。力ずくで自国の領土を奪い取ってきた核大国と接する中、現実的な抑止力として、核の再武装に言及してみせたのだ。

ただし財政難に苦しみ、欧米から支援を受けてきたウクライナが核武装に踏み切る余地はほとんどなかった。それでもシュマンが口にした「核の再武装」はクリミアを強奪されたうえに、東部までもロシアに蹂躙(じゅうりん)されている事態を受け、ウクライナ国民が挙げた怒りの声に近かった。

難しかった核の維持

現実的に、ソ連から独立した後のウクライナが核兵器を所有し続けることはできたのか。この点については、当時を知る専門家は懐疑的な見方を示す。

ベラルーシの外交官だったアレクサンドル・バイチョロフは次のように説明する。

ソ連時代にはロシア、ウクライナ、カザフスタン、ベラルーシの4共和国にICBMが配備されていたが、全てのミサイルがロシア共和国にある誘導施設を使う仕組みになっていた。

「ウクライナがICBMを発射したとしても、誘導施設がないから、どこに飛んでいくのかはわからない状態だったのです」

このような現実を打ち明ける。

エフゲニー・マスリン（82）は、ソ連崩壊後にロシア陸軍で核兵器の廃棄や解体を担当した将軍だった。私の取材に応じると、マスリンは核弾頭にも使用期限がある点を指摘し、独立後のウクライナが核兵器を放棄しなかったとしても、一定期間を過ぎると実戦使用できなくなっていたと説く。

またソ連時代にはロシア共和国で核兵器の一部部品が製造されていたことから、独立後のウクライナが自力で核兵器を製造できなかった点も指摘する。

「だからウクライナは自らの判断で核兵器を手放したのです」

マスリンは「ウクライナが核兵器を放棄していなければ……」という仮説を受けいれなかった。

マスリンは2014年に起きたクリミア併合についても「ロシアではなく、(クリミアの)人々が決めたことです」と言い放つ。当時のウクライナで親欧米派がヤヌコビッチ政権を打倒しなければ、クリミア併合も起きなかったと主張して譲らない。いずれにしろ、現実的な問題として、ウクライナが核保有を続けられなかったと説いて譲らなかった。

ソ連から独立した後のウクライナは核兵器を手放したが、結果的に平和と安定を享受できなかった。だが核を放棄しなければ、ロシアから攻撃されずに「より良い結果」を手にしていたのかといえば、その答えも定かではない。前述の専門家の指摘によれば、独立後のウクライナが実戦使用できるような核兵器を所有し続けられなかったからだ。

冷戦終結から30年を迎えていたが、ソ連が残した核兵器に関連する問題は解決されておらず、ウクライナに深い傷痕を残していた。

２０２２年の核問題

私がパブログラドにあるＩＣＢＭの燃料処理工場を取材してから2年4カ月後、ロシアはウクライナへの全面侵攻に踏み切った。その際に、プーチンはウクライナの核を巡る「疑惑」を取り上げている。

２０２２年2月24日、ウクライナへの全面侵攻を始めた際、プーチンは国民向けの演説で、ウクライナが核兵器を開発している恐れがあると主張した。

「彼らは公然と、（クリミアとドンバス以外の）ロシアの他の数々の領土も狙っています。全体的な状況の流れや、入ってくる情報を分析した結果、ロシアとこうした勢力との衝突は避けられません。それはもう時間の問題です。彼らは準備を整え、タイミングを見計らっているのです。さらに核兵器の保有までも求めています。そんなことは絶対に許しません[5]」

これまでも一方的な発言を繰り返してきたプーチンだが、どのような根拠に基づき、ウクライナが核兵器を保有しようとしていると言い切ったのだろうか。

プーチンの発言に先立つ5日前、ゼレンスキーはミュンヘンで開かれていた国際的なフォーラムの「安全保障会議」に出席していた。この時点でロシアがウクライナ国境に推定15万の軍を配備しており、いつ攻め込んでもおかしくない状況だった。

ゼレンスキーは米英露が核兵器放棄を条件にして、ウクライナの領土保全を約束した「ブダペスト覚書」に言及したうえで、この3カ国と再度協議したい意向を表明した[6]。覚書には、「これらの約束ごとに関して疑義が生じた場合は、互いに協議を行う」との条項が盛り込まれている。ウクライナとしては、話し合いを招集できる権利を持つと考えていたからだ。

ゼレンスキーの発言はその点にとどまらなかった。

「私たちの国の安全保障に関する具体的解決策が出なければ、ウクライナは、ブダペスト覚書が機能していないとみなす権利を持ち、1994年の全てのパッケージは疑義にさらされることになります」

ゼレンスキーの発言のポイントはどこにあったのか。

1994年にはブダペスト覚書に先立ち、ウクライナは1月に米国とロシアとの間で、自国による核兵器の放棄やロシアによるウランの返還などを盛り込んだ合意を結んでいた。ウクライナとしては、ロシアがブダペスト覚書に基づいて領土保全を尊重しなければ、一度は約束した「核兵器の放棄」を反故にするとの意味合いをにじませたとみられる。

ロシアが侵攻してくる脅威が目の前に迫っている中、ウクライナとしても外交のカードを切り、脅威の削減を試みたのだ。

そこにつけ込んだのが、5日後のプーチンの発言だった。

ゼレンスキーの発言がロシアにつけ込む隙を与えたのか。それともロシアはゼレンスキーがブダペスト覚書の破棄を示唆しなくても、軍事侵攻の口実の一つとして、ウクライナによる核兵器開発を取り上げたのだろうか。

ウクライナへの全面侵攻を始めた後のロシアの行動を見る限りでは、恐らく後者ではないかと思えてしまう。

核に固執するロシア

ウクライナへの全面侵攻を始めると、ロシア軍はまず1986年に事故を起こしたチェルノブイリ原発を占拠した。翌週には欧州最大級の原発であるウクライナ南部のザポロジエ原発も攻撃し、支配下に置いた。一時期はチェルノブイリ原発で外部からの電力供給が途絶えてしまい、貯蔵施設に保管されている使用済み核燃料を冷却できずに、放射性物質が放出される事態も懸念された。

ザポロジエ原発を巡っても、2022年の夏以降、絶えず砲撃されて、断続的に外部からの電力供給が途絶える危機的な状況が続いている。原発を支配下に置いたロシアはウクライナから攻撃を受けていると主張するが、ウクライナは真っ向から否定している。現地で何が起きているのか真相は解明されていないが、ロシアが核を巡る危機を作りだしている点は否定のしようがない。

プーチンはウクライナへの全面侵攻に先立ち、核兵器を使用する可能性を否定しなかった。侵攻を開始した直後にも、核戦力を含む部隊に特別態勢を敷くように命じ、緊張のギアを1段階上げてみせた。

秋口になり、ウクライナ戦線でロシア軍の劣勢が明らかになると、ウクライナ東・南部の4州を併合すると宣言したうえで、これらの地域が攻撃された場合に、核戦力による反撃をいとわない姿勢も明示している。そのためロシアがウクライナに対し、戦術核で攻撃を仕掛けるとの懸念が残り続けている。

またプーチンをはじめとした首脳部や軍トップは根拠を示さないまま、ウクライナ軍が放射性物質をまき散らす「汚い爆弾」を使う恐れがあると主張している。ただし、このような主張はロシア自身が汚い爆弾を使いながらも、その責任をウクライナに負わせようとする「偽旗作戦」を準備しているのではないかとの臆測も呼んでいる。

まさに独立した後のウクライナ史の裏面は、核を巡る受難の歴史でつづられるのではないかとすら思えてくる。一夜にしてソ連が崩壊したことにより、世界3位の核兵器の保有国に躍り出た。「兄弟国」といわれながらも、かつて隣国ロシアから支配された歴史を踏まえると、核による武装を選び、抑止力にできないのかということも考えた。それでももう一つの核大国、米国も乗り出し、核を手放すように説得してきたこともあり、最終的には「核のない世界」を歩む決断をした。

しかしウクライナの決定は果実をもたらすどころか、20年後に隣国からの軍事侵攻を許してしまった。裏切りを犯したのはロシアだけでない。核放棄した暁には経済支援に乗り出すと約束した米国も、核解体の作業の道半ばにして、ウクライナへの関与を取りやめた。しかも一度ならずとも、二度も支援を取りやめることにより、いかに米国が自身の事情を優先しているのかを露呈している。

そしてロシアからの侵攻が続く今、核の問題がウクライナを苦しめ続けている。核の呪縛から解かれていない点では「2019年のウクライナ」と現在は一本の線で結ばれているかのようである。

リブネ州ラーチン　モスクワ聖庁派の教会

第11章 教会を巡る争い

2018年11月
@ウクライナ西部リブネ州ラーチン

ウクライナ宗教界も支配

ロシアとウクライナの歴史では、宗教界の動きも複雑な要素の一つをなしている。キリスト教の主要な一派である東方正教会は黒海を中心とした周辺国に、それぞれの正教会の組織を持つ。ロシアにはロシア正教会があり、ギリシャにはギリシャ正教会がある。

ウクライナにもウクライナ正教会があるのだが、ロシアがウクライナを支配してきた歴史にあわせ、300年以上もロシア正教会に組み込まれてきた。今でも厳密に言うと、独立を果たせていない。

それでもプーチン政権が2014年にクリミアを併合し、ウクライナ東部へ軍を送り込んで以来、傘下に置かれてきたウクライナ正教会がロシアから離反する動きが加速している。


ロシアとウクライナの宗教界の攻防を見ていくにあたり、キリスト教会の歴史をかいつまんで説明しよう。

イエス・キリストの弟子が広めたキリスト教は、ローマ帝国で長く弾圧されてきた。ようやく392年にローマ帝国の国教に定められると、キリスト教会はローマやコンスタンチノープル（現イスタンブール）など5都市に総主教を置いた。

ローマ帝国はわずか3年後に東西に分割し、コンスタンチノープルに首都を置く東ローマ帝国はその後にビザンチン帝国と呼ばれていく。そして中世では欧州とその周辺で、西のローマ教皇庁と東のコンスタンチノープル総主教庁が対立を深め、やがてカトリック教会と東方正教会へと二分された。

約1000年の歴史を誇ったビザンチン帝国だが、1453年にオスマントルコの攻撃を受けて滅亡した。その後、東方正教会の中心は新興のモスクワ公国（後の帝政ロシア）に移り、モスクワがローマ、コンスタンチノープルに次ぐ「第3のローマ」と呼ばれる。その後の数百年はロシアが東方正教会の擁護者として権勢を誇った。

民族と言語が近いロシアとウクライナは、どちらも9世紀に建国されたキエフ・ルーシを国のルーツと唱えてきた。この国が10世紀末にキリスト教を国教に定めると、キーウ府主教区はコンスタンチノープル総主教庁に組み込まれた。

やがて国力を強めたロシアが国土を拡大していく過程で、モスクワ総主教は1686年、コンスタンチノープル総主教の許可を得て、キーウ府主教区を傘下に収めた。ロシアがウクライナ東部の一帯を自国領に組み込むのが18世紀前半だったから、宗教界の動きの方が先を行っていた。

これによりウクライナの宗教界はロシアの支配下に置かれ、その後300年以上もこの関係が続いていく。ロシア正教会全体の教区の3～4割はウクライナ国内に置かれ、信者からの献金をはじめとして多くの収入を得てきた。ロシア正教会は経済的な権益を維持するためにも、ウクライナの宗教界を支配し続けた。

もう一点補足しておくと、ウクライナにはローマ教皇に従いながらも、正教会の儀式を取り入れた宗派も存在する。この一派はカトリック大国であるポーランドの文化的な影響を受けてきたウクライナ西部を拠点としている。ただし、この章のメインテーマとなるウクライナ正教会の内部の争いには深く関わらないことから、ここで触れておくにとどめる。

独立の動きが後を絶たず

ロシア正教会の傘下に入れられてきたウクライナ正教会だが、ロシア政治の変わり目が訪れる度に、独立の動きをみせてきた。ロシア革命（1917年）により帝政ロシアが崩壊し、社会主義国家のソ連が誕生すると、1920年代にウクライナ正教会では「自治独立派」を名乗る一派がロシア正教会からの独立を宣言した。

その背景では、誕生したばかりのソ連の政権がロシア正教会の影響力をそぐ狙いで、ウクライナ正教会の独立の動きをバックアップしたという(1)。まさに敵の敵は味方になる。これが独立の動きの第1波となった。

そして1991年12月のソ連崩壊を前にして、後にキーウ聖庁と呼ばれる一派が独立の意向を表明した。一方、ウクライナ正教会でロシア正教会の傘下に残った一派はモスクワ聖庁と呼ばれる。同じウクライナ正教会でありながら、独立を志向するキーウ聖庁と、ロシアの庇護下に残るモスクワ聖庁は対立を深めていった。

それぞれの宗派がどの程度の信者を抱えていたのか正確には分からない。それでも２０１８年の時点で米中央情報局（ＣＩＡ）は、モスクワ聖庁とキーウ聖庁の信者がそれぞれ人口の２割程度ではないかと分析している。

ロシアによるウクライナ東部への侵攻が続いていた２０１８年10月、火に油を注ぐような動きが起きた。１４５３年にビザンチン帝国が滅びた後も、コンスタンチノープル総主教庁は数ある東方正教会の中でも最も高い権威を誇ってきた。

その最高位の総主教庁が約３３０年前の決定を覆した。

つまりキーウ聖庁の要請を聞き入れて、形の上でロシア正教会の下に置かれてきたウクライナ正教会の独立を認める方向に動き始めたのだ。これに反発したロシア正教会はコンスタンチノープル総主教庁との関係断絶を通告した。

ウクライナ正教会の独立問題は東方正教会全体を揺るがす騒動へと発展したのだ。２０１８年11月、神の教えを巡る争いが激化していたさなかに、私はウクライナ西部にあるリブネ州を訪れた。

追い出されたモスクワ聖庁派

れんが造りできらびやかな外装とは対照的に、内部はコンクリートむき出しの箇所が目立つ。モスクワ聖庁派に所属する教会は、この年の秋に完成したばかりだった。神父のアンドレイ（39）は信者たちが初めて礼拝に来た時の様子を振り返ってみせた。

「みんなが感激のあまりに大泣きしていたのです」

リブネ州の小集落ラーチンでは、アンドレイが昔からある教会を使っていたのだが、2014年秋に一部信者の反発に遭い、追い出されてしまう。アンドレイたちを追い出した信者らは、この教会をキーウ聖庁の一派にくら替えすると一方的に表明した。

なぜ以前から地域に根を張っていたはずのモスクワ聖庁派が追い出されたのか。

「彼らはロシアが侵略を始めても非難しなかったからです」

モスクワ聖庁派がこの教会から追い出された後、外から乗り込んできたキーウ聖庁派の神父ウラジーミル（50）はそう糾弾した。

東部ドネツク州などでは2014年4月、ウクライナの治安部隊とロシアが支援する武装勢力との戦闘が始まり、泥沼の紛争へと発展していた。

そのため教会を巻き込んだ騒動はリブネ州の小集落にとどまらなかった。

モスクワ聖庁派の神父が戦死したウクライナ兵に祈りをささげることを拒んだ。このような情報がウクライナ国内を駆け巡ると、モスクワ聖庁派への嫌悪感が広がった。

「彼らは信者と共にあろうとしませんでした。教会をロシアのプロパガンダの場としてきただけだったのです」

教会を乗っ取った側のウラジーミルは批判を止めなかった。

一方で、追い出された側のアンドレイたちは数年間、小さな礼拝堂を使いながら、新たな教会の建設に取り組み、ようやく完成にこぎ着けたのだ。それが冒頭で紹介した教会だった。

モスクワ聖庁派の神父アンドレイ、リブネ州ラーチンにて

モスクワ聖庁派が教会から追い出されて、そこにキーウ聖庁派が乗り込んでくる。しかしモスクワ聖庁派は別の場所に新たに教会を建てる。いたちごっこは、この集落にとどまらず、私が訪れたリブネ州の別の集落でも起きていた。

ロシアのこだわり

ロシアは自国の起源について、9世紀に興隆した国家キエ

ペチェールスカ大修道院

フ・ルーシにさかのぼると唱えてきた。その理由の一つとして、ウクライナが歴史的にロシアの領土だったとの主張を正当化すると共に、自国の歴史に厚みを持たせる狙いがある。

キエフ・ルーシが10世紀末にキリスト教を国教に定めた後、初めて建てた教会の一つがキーウにあるペチェールスカ大修道院である。ロシア正教会はこの修道院を自分たちの聖地と位置づけてきた。

「我々にとって精神的な中心であり、多くの聖なるものが保管されています」

ロシア正教会の報道官、アレクサンドル・ボルコフ（36）はこの修道院の重要性を語る。

そしてウクライナ正教会のモスクワ聖庁の総本山は、まさにこの修道院に置かれている。ロシアがウクライナの宗教界を支配するうえで、現地本部の役割も兼ねていた。

このような事情もあり、ロシア政府とロシア正教会にとって、ペチェールスカ大修道院は二重にも三重にも重要な教会なのだ。

一方でキーウ聖庁は、ロシア正教会によるウクライナ宗教界の支配をどう見ていたのか。

「ロシアはウクライナ正教会を失うと帝国を復活できなくなってしまうのです」

報道担当の大司教、エブストラティー・ゾーリャ（41）はそう皮肉ってみせる。

ウクライナの治安機関はこの年の11月末、モスクワ聖庁の幹部が憎悪をあおる発言をしたとの容疑で、ペチェールスカ大修道院内の捜索に踏み切った。ウクライナの文化省は翌年1月にもペチェールスカ大修道院で重要文化財が紛失したとの疑いをかけるなど、修道院と背後に控えるロシア正教会に対抗する姿勢を鮮明にしていた。

ペチェールスカ大修道院には、信者らが祈りをささげる洞窟が数多く残されている。人々の敬虔の念が長年刻まれてきた場が、ロシアとウクライナの宗教界がぶつかり合う最前線となっているのだ。

分裂の経緯は

キーウ聖庁はソ連崩壊の動きに絡んでロシア正教会から独立を宣言したのだが、その経緯は単純ではない。１９９０年にロシア正教会のトップが死去し、後任選びの際には、その当時、キーウ府主教を任じられていたウクライナ人のフィラレートが有力候補に挙げられた。

しかし最終的に別の候補が選ばれたことがしこりとなったのだろうか。フィラレートが率いるグループはロシア正教会からの独立を宣言し、その後にキーウ聖庁となる。

このような動きをロシア正教会が許すはずはなく、フィラレートに破門を言い渡し、この時のコンスタンチノープル総主教庁はロシア正教会の動きを支持した。

つまりロシア正教会にとって、コンスタンチノープル総主教庁は二重の裏切りを働いたことになる。

まずは1686年にモスクワ正教会がキーウ府主教区を傘下に組み込むことを支持していた。それなのに3世紀以上が過ぎてから、その判断を覆そうとしている。さらにソ連崩壊後には、ロシア正教会がフィラレートに破門を言い渡した際に、その判断を支持していた。ところが、今になって、破門への支持を撤回しているからだ。

当然ながら、ロシア正教会はコンスタンチノープルの動きを非難する。

「フィラレートは、かつてロシア正教会のナンバー2まで上り詰め、総主教の可能性も取りざたされた人物です。ロシア正教会は彼が独立を宣言した時に破門を言い渡し、コンスタンチノープル総主教も我々の判断を支持しました」

報道担当のボルコフは以下のように続ける。

「ところが、このマフィア的な組織（コンスタンチノープル総主教庁）は今ごろになって（ウクライナ正教会の独立を）認める立場に転じました。東方正教会では一つの教会が下した決定について、別の教会が覆してはいけない取り決めがあります。コンスタンチノープルがこれを破ったことから、我々は全ての関係を絶つことにしたのです」

それぞれの主張

コンスタンチノープルやキーウ聖庁の反論にも触れてみよう。

ロシア正教会が１６８６年にウクライナ正教会を傘下に組み入れた際に、コンスタンチノープル総主教はその決定を認めた。ところが２０１８年になり、その決定を覆そうとしたことが混乱に拍車をかけている。この点について、コンスタンチノープル総主教庁の主教マカリオスは私の質問に書面で回答してきた。

「ウクライナ正教会の分裂が起きてから、何百万人もが正統な教会から放り出されながらも、ロシア正教会は30年近くも解決しようとしてこなかったのです。コンスタンチノープル総主教は取り残された人々に心を痛めてきました」

「ロシア正教会は長い間、１６８６年にコンスタンチノープル総主教から受け取った書簡に言及して、キーウ府主教区を管轄に入れた根拠としてきました。しかしロシア正教会の主張はこの書簡に付帯していた拘束力のない部分を根拠としてきたのに過ぎなかったのです。そのため我々は書簡が無効であるとの判断に転じました」

つまり3世紀以上がたってから、コンスタンチノープルは当時の根拠が正しくなかったと解釈を変えたのだ。今回は人道的な配慮として、かつての決定を覆すとも唱えている。

東方正教会がカトリックと決定的に違うのは、ローマ教皇のような絶対的な存在がいないことだ。現在では15を数える世界各地の正教会が集まり、東方正教会という緩やかな集合体となっている。その中でコンスタンチノープルが最も高い権威を持っているが、全ての決定権を握っているわけではない。

従って、ある正教会を独立した存在であると認めるには、東方正教会を構成する15の教会すべてが賛同しなければならない。どこか一つの正教会が反対する限り、正式には独立を達成できない仕組みになっている。いくら最高位のコンスタンチノープル総主教がウクライナ正教会の独立を認めても、その決定だけでは正式な独立承認とはならないのだ。

この点も踏まえて、キーウ聖庁の大司教ゾーリャは次のように話す。

「ウクライナ国内では人口の7割が正教会の信徒だと考えられています。このように人口の大部分が正教会の信徒である国では通常、独立した教会が認められてきています。ウクライナ正教会の独立が取りざたされたのは最近のことではなく、１００年近くも続いてきた問題なのです」

「ウクライナでロシア正教会の管轄下にあるモスクワ聖庁は、ロシアが我々の社会への影響力を維持するための道具に過ぎません。現時点では東方正教会のうち、どの教会が我々の独立を認めてくれるのか定かではないです。全ての正教会から即時に独立を認めてもらえるとは期待していません。それでも我々は（将来的に）独立を認めてもらうため、扉を開けて待っている状態なのです」

キーウ聖庁にとってみれば、ロシア正教会から独立を認めてもらえないのは織り込み済みである。他の正教会から即時に独立を認めてもらえるとも期待していなかった。それでも独立問題について、あくまでも人道的な問題であるとして、その正当性を訴え、なるべく多くの東方正教会から賛同を得ようとしていた。その点では独立承認の動きが長期戦になることを覚悟していたのだ。

キーウ聖庁のゾーリャ大司教

最高権威からの承認

私が2018年11月に正教会の混乱を取材した翌月から、独立問題は大きな動きをみせた。12月にはキーウ聖庁と1920年代に独立を宣言していた「自治独立派」が宗派を統一することで合意した。この動きには、一部のモスクワ聖庁派の主教も加わり、新たなトップとして「キーウ府主教」を選出した。当然ながらモスクワ聖庁の本体は、この宗派統一の動きに反発した。

年が明けた2019年1月には、コンスタンチノープル総主教のバルトロメオ1世が、統一されたばかりのウクライナ正教会について、ロシア正教会からの独立を認める交付文書トモスに署名した。そのうえでウクライナ正教会の府主教にトモスを授けた。この結果、コンスタンチノープル総主教がウクライナ正教会の独立を正式に認めたのだ。

繰り返しになるが、統一されたウクライナ正教会は、東方正教会の中で正式に独立を認められたわけではない。これまで15に上る東方正教会のうち、独立を承認したのはアレクサンドリア総主教庁など三つの正教会にとどまる。他の正教会にしてみれば、強い影響力を持つロシア正教会と対立するような事態を避けようとしているのだろう。そのために当面は様子見の姿勢を取っていると読み取れる。

くしくもキーウ聖庁の大司教ゾーリャが語っていたように、この闘いは10年、あるいは数十年先も見据えたロングゲームになっている。いずれにしろウクライナの宗教界がロシアのくびきから抜け出し、大きな一歩を踏み出せたことは間違いない。

政治の動きも深く絡み

なぜソ連崩壊から30年近くもたつ今に、ウクライナ正教会の独立問題が大きく動いたのか。

宗教界でもロシアのくびきから脱する試みはウクライナ内政の流れとシンクロしてきた。ソ連から独立した後の初代大統領クラフチュクはウクライナ正教会の独立問題に熱心だったが、第2代大統領のレオニード・クチマは距離を取ろうとしてきた。

ところが2000年代半ばになると、ウクライナの東西対立が宗教界でも如実に反映されていく。2004年に起きたオレンジ革命は、「西」の候補ユーシェンコと「東」の候補ヤヌコビッチの争いだったが、キーウ聖庁が前者の、モスクワ聖庁が後者への支持を表明した[2]。ウクライナ正教会が複数の派に割れただけでなく、それぞれが大統領候補を支援する異常事態に発展していた。

そしてユーシェンコが第3代の大統領に就くと、ウクライナ正教会の独立を支援する動きを強めていく。宗教政策のみならず、ユーシェンコは言語政策や歴史問題でもウクライナのアイデンティティーを問いただす施策を進めた。それまでのウクライナでは民族的な伝統とロシアの影響が混在していたが、パンドラの箱を開けるかのようにして、社会のウクライナ化を進めようと試みた。

ところが2004年の選挙で敗れたヤヌコビッチが第4代大統領に就任すると、再びロシア正教会との関係を重視するなど、政治と宗教の問題は揺り戻しを経験した。

このような流れの中で、第5代大統領となったポロシェンコはウクライナ正教会の独立問題を前進させる狙いで、宗教問題に積極介入した。

2018年4月にポロシェンコや最高会議（議会）の議員、ウクライナ正教会各派の聖職者はコンスタンチノープル総主教に書簡を送り、ロシア正教会からの独立を認めるよう嘆願した。結果として、この書簡の発送から8カ月あまりで、ウクライナ正教会の独立が正式に認められたのだ。

ウクライナの政権がコンスタンチノープルに独立承認を請願したのは、今回が初めてではない。2008年以降に何度か試みてきたうえで、ようやく願いをかなえられた。その理由の一つは、今回の嘆願ではキーウ聖庁や自治独立派にとどまらず、モスクワ聖庁派の一部聖職者が参加したことから、「ウクライナ正教会が統一して行動した」と評価されたからだという[3]。

東方正教会の最高権威であるコンスタンチノープル総主教庁が3世紀以上も前に下した判断を覆す。大きな山を動かすためには、たとえ形式的であったとしても、ウクライナ正教会の統一という大義が必要だったのだ。

このように政治も深く絡んだウクライナ正教会の独立問題である。それぞれのプレーヤーが自分たちの権益を考慮して、宗教問題を利用した側面も読み取れる。

これは私が2018年11月、リブネ州の教会を取材していた時のことだ。ある教会でお祈りに来ていた信者の男性に尋ねると、その教会がキーウ聖庁とモスクワ聖庁のどちらに所属しているのかをきちんと把握していなかった。つまり一定数の信者にとって、自分たちの教会がどちらの派に属しているのかは、そこまで重要な問題ではない。あくまでも祈りをささげる神聖な場として、教会の存在を求めていたようだ。

この点を踏まえると、ウクライナを揺り動かしてきた正教会の独立問題では、必ずしも信者の存在が尊重されないまま、政治的なカードとして利用されてきた部分も浮かび上がってくる。

これが2018年から19年にかけての、ウクライナにおける神の教えを巡る争いの概要だ。それでは、この時期の世論調査機関レイティングの調査ではどのような傾向が読み取れるのかを見てみたい。2018年9月の時点では、54%の回答者がウクライナ正教会の統一に前向きな見解を示している。2011年に比べると21ポイント、2017年に比べると17ポイントと確実に増えている。

ロシアがクリミアを力ずくで併合し、東部で軍事介入を続ける中、より多くのウクライナ国民が宗教界でもロシアのくびきから脱したいとの思いを強めていた。当然ながら、ウクライナの東西間では態度が割れており、西部では68%の回答者が正教会の統一に前向きな見解を示す一方で、東部だと37%まで下がっていた。

戦争を非難しない教会トップ

このようにウクライナの宗教界は揺れ動いていたが、ロシアが全面侵攻を始めると、混乱は一層深まっていく。その元凶となった一人はロシア正教会トップのキリル総主教といえた。

プーチンは当時のロシア憲法の3選禁止規定に従い、2008年に一度、大統領から首相に横滑りしていた。そして2012年の大統領選への出馬の意向を表明すると、ロシア国内では権力をたらい回しする動きへの反発が強まった。

そのような折に、プーチンは国内の保守層から支持を得る狙いで、ロシア正教会に接近した。同性愛を宣伝する行動を禁じる法律を制定するなど、保守的な価値観を重んじる正教会の意向に沿うような施策を敷くようになっていた。

一方でキリルもプーチン政権と二人三脚で歩み続け、2015年にロシアがシリアへの軍事介入を始めた時には、戦争への反対を唱えるどころではなかった。シリア戦線に出征するロシア兵を激励するメッセージを送るなど(4)、軍事介入を支持する姿勢を隠さなかった。

これは他の宗教界からみれば、理解しがたいスタンスに見えるだろう。だがロシア正教会にとどまらず、東方正教会はその国の政治的な権威と近い立場を取り続けてきた。さらにロシア正教会は信仰が迫害されたソ連時代に苦い経験をしたこともあり、政権に同調するような傾向が強いのだ。

キリルはプーチン政権が提唱するルースキーミール（ロシアの世界）の思想にも同調している。「ロシアの世界の基礎には正教への信仰がある」と述べるなど[5]、ロシアとウクライナやベラルーシの正教会とのつながりの重要性を説いている。


プーチン政権がウクライナへの全面的な侵攻を始めると、あからさまな軍事侵攻への支持こそ避けているが、キリルの基本的なスタンスは変わらない。

「神よ、我らの兄弟であるウクライナの政治状況が、ルーシとロシアの教会の団結を阻もうとする邪悪な勢力の勝利に向けられることを許したもうことなかれ」

全面侵攻開始から3日後の説教で、こう祈ったこともあった[6]。ここで取り上げた「邪悪な勢力」とは、ロシアとの団結を重視せず、欧米に接近しているゼレンスキー政権を指しているのは間違いない。

軍事侵攻した国の宗教界のトップが、攻撃されている国の政権を「邪悪な勢力」と糾弾する。ましてや、これまでのキリルはロシアとウクライナの宗教的な一体性を維持するべきだと訴えてきたのだから、この発言はプーチン政権への支持ありきの姿勢を露呈していた。

当然ながらウクライナの宗教界では反発を招き、ロシア正教会の傘下に残るモスクワ聖庁派の教会から、統一されたウクライナ正教会へのくら替えが相次いだという。

ロシアからの離反なのか

自国の宗教界で起きている雪崩現象に耐えられなくなったのは、ロシア正教会の傘下に残っているモスクワ聖庁である。全面侵攻から3カ月が過ぎた2022年5月下旬、教会会議を開き、声明文を出した。[7]

そこで「戦争を非難する」と明記したほか、「モスクワ総主教キリルの姿勢に同意しない」考えも表明している。そのうえで「ウクライナ正教会の完全なる独立と自治も宣言する」修正条項も盛り込んだ。

一部メディアはこの発表文をもって、これまでロシア正教会の傘下にとどまっていたモスクワ聖庁がその母体との断絶を宣言したと報じた。

さらに事態を混乱させたのは、直後のキリルの反応だった。キリルは「ウクライナの教会が現在、苦しんでいることを完全に理解する」と述べたことから、[8]一部ではロシア正教会もモスクワ聖庁の独立を容認したとの見方も流れたのだ。

だが、私が取材した日本国内のウクライナ正教会の関係者はこのような解釈に全面的に賛同していない。東京都内の教会でウクライナ正教会の長司祭を任じるポール・コロルクの解釈は以下のようである。

「モスクワ聖庁が独立と自治を宣言するためには、正式な決議に盛り込まなければいけません。ところが今回、モスクワ聖庁は声明文しか発表しておらず、決議の内容はわからないままです」

モスクワ聖庁が出した声明文では「戦争を非難する」と明記しているが、ロシアについて言及しているわけでもない。その点も踏まえ、コロルクは「非常に弱い言葉遣いだ」と指摘する。さらにモスクワ聖庁の声明文に対し「理解する」と応えたキリルの発言についても、コロルクは大きな意味がないとみなしている。

「キリルの発言はどうとでも都合が良く解釈できるものに過ぎません。そもそもキリルは常にプーチン政権の利益を第一と考えて行動している人物です。彼がプーチン政権の意に反して、戦争の批判に転じるようなことは考えられません」

このようにも指摘する。

それではなぜモスクワ聖庁は誤解を招くような声明文を発表したのだろうか。コロルクは次のように解釈している。

「ウクライナ国内ではロシアへの批判が止まらず、ロシア正教会から離反する動きが止まりません。そこでモスクワ聖庁は独立と自治を宣言したような行動に出ましたが、実際のところは後から、何とでも言い訳をできるような声明文を出したのに過ぎなかったのだと思います」

取りあえずは、ロシア正教会から離れるようなスタンスを取ることで、自国内で起きている教会の離反を少しでも防ごうと考えていたようだ。

これまでのウクライナ国内の取材の経験から、モスクワ聖庁がロシア正教会から完全に独立することは考えられない。彼らはロシアとつながることにより権益を得てきたし、そう簡単に関係を絶ちきれないのは明白だ。

それでもロシア正教会の傘下に残り続けたモスクワ聖庁ですら独立の姿勢をのぞかせている。ロシアが大義なき全面侵攻に踏み切り、ウクライナ国内で甚大な被害を出し続けていることから、宗教界でもウクライナが離反していくプロセスが進んでいるのだ。

2018年の秋にリブネ州で私が目にした教会の混乱も、今日のウクライナとつながっているのだ。

最終章

2022年への道

60周年を前にして

「２０１９年のウクライナ」を取材した中で忘れられない一つの場面がある。

この年の4月に訪れたゼレンスキーの故郷クリボイログでのことだ。母校の「第95ギムナジウム」では、女性校長のアラ・シピルコが２０１２年に迎えた50周年の際、ゼレンスキーが送ってきたビデオメッセージを見せてくれた。

その後で、次に控えている記念日を待ち切れないかのように話し始めた。

「２０２２年には創立60周年を迎えるのです。式典に来られない卒業生はビデオメッセージを送ってくれればいいと思っています。教授になったり、大学で研究したりして、欧州やカナダなどに住んでいる卒業生も多いのですから」

この時点で２０２２年は3年後に控えていたから、遠くない将来だった。大統領選の決選投票でゼレンスキーの勝利は確実視されていた。だから校長のシピルコは未来の大統領が60周年のメッセージを送ってくれることも頭によぎっていたのだろう。

故郷を愛して、母校を大切にしてきたワロージャ（ゼレンスキーのロシア語の愛称）のことだ。大統領になっても母校への配慮は忘れないだろう。シピルコはそんな思いも抱いていたのかもしれない。

だが期待されていたような２０２２年は訪れなかった。代わりに、誰もが予測もしなかった悪夢がウクライナ全土に襲いかかった。

２０２２年2月24日。この日にちは今後50年どころか１００年も忘れられないはずだ。ウクライナとの国境付近に15万人ともいわれる部隊を集めてから、ロシア軍は北方、東方、南方から侵入を始め、軍事施設にミサイルを撃ち込み、全面侵攻に踏み切った。

その後はクリボイログの近郊でも激しい戦闘が伝えられている。もはやシピルコが思い描いていたような形で、60周年の記念行事が開ける状況ではなかった。

２０１９年の時点でもウクライナ東部では戦争が続いていたが、国土の大部分では平和が享受されていた。しかし、今ではその日常が著しく失われている。

最終章では２０１９年から２０２２年に続く道をたどりながら、なぜロシアが侵攻に踏み切ったのかを探っていく。そしてウクライナとの２国間関係にどのような変化をもたらしたのかも考察してみよう。

読み切れなかった侵攻

プーチンのロシアがいつ、どのようにしてウクライナ侵攻を決めたのか。この点については２０２２年11月になり、英国のシンクタンクやメディアが相次いで分析や検証記事を発表した。

まずは王立防衛安全保障研究所（ＲＵＳＩ）の分析の概要を見てみよう[1]。

ロシアは２０２１年３月にウクライナとの国境付近に大規模な軍を集結させたが、三つの狙いがあったと分析している。

一つ目は、ウクライナに２０１５年の停戦合意を履行するよう促すため、西側に圧力をかける狙いがあったと見ている。二つ目は将来的に兵を再結集させる可能性を踏まえ、国境付近に兵器を配備した。三つ目が最も重要な点といえるのだが、大規模な兵の動員は欧米諸国の対応を見極める意図も込められていたという。

この時に欧米が敏感に反応しなかったこともあり、ロシアは欧米から妨害を受けずに、ウクライナに全面侵攻に踏み切れると見て取った。ＲＵＳＩの報告書はこう分析している。

そのうえでロシアの情報機関である連邦保安庁（ＦＳＢ）で、旧ソ連諸国を担当する第５局が７月に侵攻作戦の立案を命じられ、冬までに練り上げたという。

作戦の要は精鋭部隊が電撃戦でキーウ攻略を試み、10日以内にゼレンスキー政権を崩壊させるという点だった。現地で傀儡政権を樹立して、ウクライナ国内の電力や暖房施設、主要な金融機関なども占拠する。

ロシア指導部と作戦の立案者は多くのウクライナ国民が政治に無関心であると見なし、侵攻してきたロシアに徹底抗戦しないと信じ込んでいた。ゼレンスキー政権を崩壊させた後は、ウクライナ各地で併合政策を進め、夏までに併合を終えるシナリオが練られていたとしている。

誰がキーパーソンとなったのか。

英国のタイムズ紙は安全保障会議書記のニコライ・パトルシェフ、FSB長官のアレクサンドル・ボルトニコフと防衛相のセルゲイ・ショイグを挙げている。[2] 中でもFSB出身の前者2人が侵攻計画の中心となったという。

2000年に大統領に就いた時には47歳だったプーチンだが、2022年秋には70歳の大台に乗ってしまう。それまでにウクライナ問題に最終決着をつけなければいけない。このような恐怖心がパトルシェフとボルトニコフを突き動かしたとタイムズ紙は分析している。

そして2021年夏の段階で、プーチンの承認を得る段階まで来ていたとみなしている。その後のロシア軍は秋が深まった段階で、ウクライナとの国境に大規模な人員を再度、集結させて緊張感を高め、そのまま厳寒の季節を迎えることになる。


ロシアの動きに対し、米国は異例の対応を見せた。本来ならば、秘匿(ひとく)しておくインテリジェンスを公にして、ロシアが侵攻してくる危機を警告した。

それでもウクライナ情勢に関与した多くの政府関係者や専門家が、全面侵攻に関する予測を外した。

日本政府内で対露政策に関わった人たちに話を聞いてみると「まさかロシアが全面侵攻する

とは思わなかった」「軍事作戦に踏み切るにしても、ウクライナ東部に限定すると思っていた」などの返答が少なくない。

ウクライナの政府関係者や国民も似たような見解を示していた。

ウクライナの駐日大使、セルギー・コルスンスキーは1月下旬に日本記者クラブで会見した際に「全面戦争になるとは極めて想定しにくいが、局地的な紛争に直面するかもしれない」と発言していた。

私の同僚、真野森作が侵攻開始の1週間前にキーウ市民に話を聞くと、「今起きているのは情報戦だと思う。現実が誇張されている」などという声も出ていた。

なによりも当のゼレンスキー自身が米国の警告に耳を貸さなかった、と米大統領のジョセフ・バイデンが6月になって打ち明けている。

ロシア政府内でも外務省には作戦の中核が伝えられていなかった。前述のタイムズ紙はそう報じている。外相のセルゲイ・ラブロフですら、全面侵攻開始の前夜になるまで詳細を知らされなかったというのだ。

侵攻開始から3カ月が過ぎたころ、あるロシア人外交官は「こんな形の戦争になるとは思っていなかった。せめて停戦してくれればいいのだが」と私に漏らしてきた。大部分のロシア政府の関係者も全面侵攻まで予想していなかったのは明白だった。

欧米に交渉を呑ませたが

なぜ多くの関係者がロシアの動きを読み間違えたのか。

端的に言えば、ロシアがウクライナに全面侵攻しても得られる国益は大きくないと見られていたからだ。全面侵攻すれば、西側諸国が制裁を発動するのは確実視されていた。そのリスクを考えれば、ウクライナとの国境付近に大規模な軍を集め、欧米諸国との交渉に臨む方が、得策ではないだろうか。そう考えられたのだ。

実際に米国や欧州諸国は２０２２年1月に対露交渉に乗り出し、ロシアが執拗に反対してきた北大西洋条約機構（ＮＡＴＯ）の加盟国拡大や兵器の配備について話し合う姿勢をのぞかせた。

プーチンは引き金に指をかけることにより、欧米を交渉の席に着かせることに成功した。１月の時点ではそう見えたのだ。

その際に根拠の一つとなったのは、プーチンという指導者への評価である。

これまでの章で見てきた通り、ロシアは２０１４年にクリミアを強奪し、ウクライナ東部での戦争を始め、代償として、欧米諸国や日本から制裁を科されていた。

ただし、いずれも対露関係を全面的に損なわないようにして、寸止めの制裁にとどめられていた。「クリム（クリミア）よりもクリル（北方領土）の方が重い」。第4章で紹介したように、日本の外交当局者はこうも語っていた。当時の安倍政権に至っては、対露交渉を優先したのだから、制裁の効果などはたかが知れている。

「冷徹なプーチン」はウクライナ国境付近に軍を大量動員しながらも、侵攻には至らないのではないか。そのように見る向きが少なくなかったのだ。

「これまでの首脳会談で見てきた姿を思えば、プーチン大統領は現実的な判断をする指導者だと思っていました。だから最後まで全面侵攻に踏み切るとは思っていませんでした」

日本政府の関係者からはこのような声も漏れてくる。

ただしここで取り上げられた「現実性」とは、あくまでも自国の利益という文脈で語られている。ウクライナ国民が被る被害や国際的な規範などは判断材料に入っていない点には留意しなければならない。

繰り返しになるが、プーチンは引き金に指をかけることにより、欧米を交渉の席に着かせることに成功した。その点でロシアは半年前や1年前に比べても、国際社会で影響力を拡大し、存在感を高め、有利な立場に置かれていたはずだった。

決断変更の契機は

だがプーチンはウクライナへの全面侵攻に踏み切り、有利だったはずの立場もかなぐり捨ててしまう。侵攻から数日の内にキーウを陥落させるという目論見も失敗に終わった。むしろ全面侵攻の代償として、西側諸国からは想定以上に厳しい制裁を科されている。ウクライナの戦局も厳しい状況が続き、早期に決着できる見通しが立っていない。

国益を最優先にしてきたはずのプーチンだったが、逆に国益を損なっている。有利である高地に陣取っていたプーチンがわざわざ低地に降りて、野戦に挑んだあげく、激しく砲撃されているかのようだ。

二つ目の「なぜ」も考えたい。

なぜ冷徹な指導者と考えられてきたプーチンが、非現実的と思われたウクライナへの全面侵攻に踏み切ったのだろうか。

２０１９年から２２年の間に、ウクライナや欧米諸国のなにがしかの行動が引き金となり、プーチンを全面侵攻へと向かわせたのだろうか。つまり、この3年ほどの間に、ウクライナ情勢を巡る決定的な分岐点があったのかということだ。

当然ながら、ここには幾つかのファクターが絡んでくるだろう。

ウクライナ国内で政治的な基盤が強くなかったゼレンスキーについて、過小評価していた側面もあるだろう。また東部での戦闘の収束を唱えながらも、ゼレンスキー政権が、ウクライナ国内の親露派勢力を排除する動きに反発した側面もあると思う。またウクライナ国境付近で兵力を増加したロシアの動きに合わせ、米国が主導するNATOとウクライナが演習を繰り返したことに対抗していったのだろう。

それでも、どれか一つの要素が侵攻を決定づけたわけではない。何か一つの出来事が侵攻を決断させる分岐点になったとも思えない。むしろ2019年からの流れの中で、プーチンは粛々（しゅくしゅく）とウクライナの外堀を埋めていく作業を続けてきたのではないだろうか。そして幾つもの要素が積み重なり、2022年2月になり、全面侵攻の決断を下したと思えるのだ。

停戦合意の埋まらない溝

ここ数年のロシアとウクライナの関係を振り返ってみよう。

2019年4月に圧倒的な支持を得て大統領に当選したゼレンスキーは、その余勢を駆って、7月に前倒しした最高会議（議会）選挙で大勝した。それまで議席を一つも持っていなかった自党「国民のしもべ」が過半数を獲得し、大きな力を得たかに見えた。

東部の戦争を終わらせる。大統領選で公約していたゼレンスキーは対露関係の改善に乗り出し、プーチンも呼応したかのように思えた。

まずは9月、ロシアに拿捕されていたウクライナ艦船の乗組員と、ウクライナ軍が捕らえていた親露派武装勢力の構成員の交換が実現した。12月には、仲介役となったドイツとフランスの首脳を交え、ゼレンスキーはプーチンと初めての会談に臨んだ。

４カ国の首脳会談は２０１６年秋以来となり、東部の戦闘に関する停戦合意（ミンスク合意）をいかにして履行するかが話し合われた。その結果、完全な停戦、地雷除去の促進、捕虜の解放と交換で合意した。外相や高官による協議を継続し、首脳たちが４カ月以内に再会することも約束している。

ただしミンスク合意に盛り込まれた政治分野の項目の履行については進展を図れなかった。合意文書では親露派が支配する地域で選挙を実施し、ウクライナがその地域に特別な地位を与え、その旨をウクライナ憲法に盛り込むことが明記されている。ここで重要なのは、親露派支配地域で「選挙が実施された翌日に、ウクライナは紛争地域の国境の管理権を回復する」と定められている点だ。

つまり親露派支配地域で選挙が実施されない限り、ウクライナはロシアに奪われた自国の国境を管理する権限を取り戻せない。これはウクライナにとって、大きな足かせとなってきた。

これまでも争点となってきたのだが、今回の４カ国の首脳会談でもこれらの点で議論は紛糾した。会議後の共同記者会見で、プーチンはウクライナに対し、合意に明記されている順序通りに義務を履行していくべきだと主張。一方で、ゼレンスキーは国境管理の問題を解決することが重要だと訴えた。当然ながらプーチンが受け入れるはずはない。

「もし一つの項目を書き直したら、全てを駄目にしてしまい、何もできない状況に陥るでしょう」

このように言い放ち、あくまでも合意文書に書かれた通りに、親露派支配地域で選挙が実施されない限り、国境の管理の権限を返さないという順序で譲らなかった。


ウクライナにとってミンスク合意は「呪われた文書」ともいえる。2015年2月、ロシア軍の支援を受けた親露派部隊はドネツク州デバリツェボでウクライナ軍を包囲し、壊滅の危機に追い込んだ。窮状を脱することを優先し、当時のウクライナ大統領のポロシェンコは停戦協議の席に着き、不利な内容を受け入れたのだ。その後に合意内容を履行しようとして、国内で支持を取り付けようと試みたが、強い反発に遭って進められなかった。

「負の遺産」を引き継いだのがゼレンスキーだ。当選直後に7割近くの支持率を誇っていたが、秋以降は支持率をジワリと下げていく。そのような状況で、国内の反発も顧みずに、停戦合意を履行できる余地はなかった。


ロシアにしてみても、合意文書に明記されている政治分野の合意項目の履行順序について、譲歩しなければならない理由は何もない。合意文書に従えば、この問題ではロシアに理があったから、持論を唱え続ければいい。この点では有利な立場を取り続けられた。

決裂した合意履行の協議

２０２０年になると、新型コロナウイルス感染症が世界的に広がったこともあり、ミンスク合意に関する関係国の協議は想定通りに開けなかった。ようやく協議が再開されたのは２０２２年１月になってから。ロシアがウクライナ国境に兵力を集中させて、緊張が高まった状況を受け、仲介役となるドイツとフランスを交え、ロシアとウクライナは1月26日、久し振りに高官協議に臨んだ。

なぜロシアがウクライナとの国境付近に大規模な兵力を集めたのか。プーチン政権はウクライナに圧力をかけることにより、ミンスク合意の政治分野の項目を履行するように迫る狙いがあったのではないか。この時期には、そのような観測も広がっていた。

この日の協議では、ロシアとウクライナがミンスク合意の履行で一致できていない点を認めながらも、停戦を維持していく点で一致した[3]。そのうえで2週間後に協議を再開する点でも合意しており、ロシアが平和的な解決策を目指すのではないかとの希望的観測も残された。

ただし、希望はすぐに霧散した。２月10日の協議は9時間近続いたが、協議後にロシア代表の大統領府副長官ドミトリー・コザクは次のように語り、失望感をあらわにした。「前回の協議に続き、我々の交渉の最終的な声明をまとめようと試みた。しかし立場の違いを乗り越えられず、目に見える形で明確な結果を文書にまとめられずに終わった」[4]

この直後から、ロシア政府は親露派勢力が自称する「ドネツク人民共和国」と「ルガンスク人民共和国」を国家承認する準備を進めるようになった。後にロシアの有力紙コメルサントはそのように報じている[5]。

この日の協議で何が話し合われ、なぜ物別れになったのかということについては、ほとんど情報が出ていない。それでも2月10日の協議の決裂が分岐点の一つになったのは間違いないだろう。

一方でウクライナ側はこの日の協議について淡々とした説明に徹している。「この紛争の政治的、外交的な解決に関与し続けていく立場を説明した。平和のプロセスを加速させるための措置を取っていく」として、抽象的な言葉を並べてみせた。ウクライナとしては今回の協議を物別れと見ていないかのようだった。

いずれにしろ、2月10日を境にして、ロシアはより強硬な姿勢を前面に出していく。この日から隣国ベラルーシで合同演習を開始し、ウクライナへの全面侵攻への予行を始めたかのようだった。ドイツ首相のオラフ・ショルツが2月15日、モスクワを訪れ、平和的な解決を訴えたが、プーチンはドンバス地方で虐殺が起きていると一方的に主張するなど、強硬姿勢をあらわにした。

そして高官協議の決裂から11日が過ぎた2月21日、プーチンは「ドネツク人民共和国」と「ルガンスク人民共和国」の国家承認に踏み切った。この決定はロシアがミンスク合意から離脱すると宣言したことに等しかった。賽(さい)は投げられた、のだ。

なぜミンスク合意は決裂したのか

なぜミンスク合意を巡る協議が物別れに終わったのか。そして、その後は坂道を転がるようにして、ロシアはウクライナへの全面侵攻へと突き進んだのか。

多くの謎が残されているが、一つ明確にいえる点がある。それはミンスク合意の決裂は必然すぎる結果だったということだ。

繰り返しになるが、ミンスク合意は2015年2月にウクライナ軍が壊滅的な危機にさらされている状況で結ばれた取り決めだった。ウクライナ政府は前線の窮状を脱する狙いから、駆け込み寺のようにして受け入れた。包囲されていたウクライナの部隊が壊滅させられなかったことを考えれば、一定期間の効用があったといえるかもしれない。

ミンスク合意を取りまとめたのは、2021年までドイツ首相を務めたアンゲラ・メルケルである。すでに退任した2022年12月になり、ミンスク合意について「ウクライナに時間を与える試みだった」と打ち明けてみせた。

一方で国際政治の文脈で見れば、ウクライナにとってミンスク合意を巡るやり取りは敗戦処理に等しかった。たとえ押しつけられた合意であったとしても、親露派勢力の支配地域における選挙や「特別な地位の供与」などを実施できず、ロシアに批判材料を与え続けた。この点では仲介役となったドイツやフランスにしても、ウクライナに同情的な立場を取りようがなかった。

ただしウクライナだけが悪者だったわけではない。

ミンスク合意が履行できなかった別の理由もある。ウクライナは親露派武装勢力を交渉相手として認めず、ロシアこそが合意の履行義務を課された当事者だと訴えてきた。しかしロシアがこのような訴えに耳を貸すはずがない。自国の軍事関与を認めていないこともあり、ミンスク合意に盛り込まれている「『外国』の部隊や兵器などの撤収を求める項目もロシアとは無関係になる」[6]というロジックだ。

米国がこの枠組みに参加してこなかったことも実効性を弱めていた。合意の取りまとめ役だったメルケルはプーチンとの対話を継続していくことにより、一連のウクライナ危機の克服を目指す「対露関与派」の代表格である。米国を取り込むことがなく、欧州諸国とロシアが向き合い、出口を探そうと模索していたが、ロシアへの圧力は十分でなかった。

そして、ロシアから天然ガスを輸入してきたドイツは自国の経済を優先し、対露関係を損なわないようにもしていた。

後ろ向きのロシア

ロシアもまた、ミンスク合意の履行に真剣に取り組まなかった。ウクライナが政治分野の合意事項を履行できなかった一方で、親露派武装勢力と後ろ盾になるロシアも、停戦の履行、重火器の撤去、外国部隊の撤収という安全保障面の合意事項について履行するそぶりを見せなかった。

これらの合意事項の履行を棚に上げながらも、親露派武装勢力とロシアはウクライナ批判に徹してきた。常に有利な立場に立っていたロシアにしてみれば、ミンスク合意とは自分たちが譲歩してまで履行しなければならない合意には程遠かった。

第5章で紹介したが、「ドネツク人民共和国」の首長プシーリンは私とのインタビューでこう述べていた。

「個人的な意見を言えば、ゼレンスキーにはほとんど期待していませんよ」

この発言には後ろ盾となるロシアの本音がにじみ出ていたと思う。形の上ではウクライナとの話し合いに臨むが、合意を履行させたいとの意思は読み取れなかった。ウクライナが合意を履行しようとしない点を取り上げ、いつまでも批判材料として使っていける。ロシアはミンスク合意を「便利なツール」と位置づけていたとも思えてくる。

ミンスク合意で煮え湯を飲まされたウクライナだが、その過程で一つの教訓を得ていた。2015年には停戦を急いだがゆえに、不利な内容の合意を呑まざるを得なかった。そのためにロシアから全面侵攻を仕掛けられている現在は、国土を奪還しない限り、停戦協定に応じようとしない。ゼレンスキーや政府高官は繰り返し表明しているし、今後も容易にその立場を変えないだろう。

いずれにしろ、2022年2月のミンスク合意に関する協議の決裂は、ウクライナ情勢の分岐点の一つになった。ただしロシアがこの理由だけで、全面的な侵攻に踏み切ったとは言い難い。この時点で15万人ともいわれるロシア軍をウクライナとの国境付近に集めていたのだから、すでにプーチンは引き金に指をかけていた。なぜプーチンのロシアはウクライナの「外堀り」を埋めていったのか。他の要因に触れてみよう。

プーチン論文の肝とは

この先は2021年7月に出されたプーチンの論文に触れてみる。全面侵攻に踏み切る7カ月前に公開された論文は、自国とウクライナの関係についてプーチンの思想のエッセンスが詰め込まれている。[7]

その肝となる部分は次のように要約できよう。

現在のベラルーシも含め、ロシアとウクライナはその歴史のルーツをキエフ・ルーシにさかのぼり、ロシア人とウクライナ人は同じ民族だった。キエフ・ルーシが滅亡した後のウクライナでは後継となる国家が存在しなかった。ようやく20世紀になり、ソ連建国の指導者ウラジーミル・レーニンが連邦国家の一つとして、ウクライナ共和国の線引きを決めたことにより、現在のウクライナの枠組みが作られた。

つまりレーニンこそが歴史上存在しなかったウクライナ国家という概念を作りだしたと考え、プーチンは次のように批判する。

「近代のウクライナは完全にソビエト時代の産物であります。大部分が歴史的なロシアの土地に建てられたのです」。そしてレーニンらソ連の建国者たちが「最も危険な時限爆弾を埋め込みました」と指摘する。ソ連の指導者たちが「ロシアの人々を社会的実験のための無尽蔵な材料として扱いました。次の点は明確であります。ロシアは奪われたのです」と続けている。

ソ連から独立した後のウクライナでは長い間、オリガルヒが政財界に影響力を及ぼし続け、政治や経済の混乱が続いた。プーチンは「誰を非難するべきなのでしょうか。明らかに、ウクライナの国民ではありません。多くの世代が積み上げてきた功績を無駄にして、壊してきたウクライナの権力者たちなのです」と断罪している。そしてヤヌコビッチ政権が2014年に崩壊した後も、ロシアはウクライナとの経済関係を維持していくよう試みたが、「双方向の意思はありませんでした」とウクライナ側を批判する。

今でも多くのウクライナ国民がロシアへの負の感情を抱き続ける歴史的な出来事がある。1930年代前半に生産された穀物が収奪されて、何百万といわれるウクライナの住民が餓死した「大飢饉（ホロドモール）」である。独立後のウクライナでは、ソ連の指導者スターリンが意図的に起こした危機だと考えられてきた。

これに対してもプーチンは全面的に反論する。

「1930年前半に起きた農業の集団化と飢饉という共通の悲劇がウクライナの人々への虐殺だと捉えられてきました」。そしてウクライナの支配層が「過去を否定することにより、自国の独立を正当化するように決定したのです。（都合の良い）神話を生み出し、歴史を書き換え、我々を結びつけていた全てを編集し、ロシア帝国やソ連の一部だった時代を占領と捉え始めたのです」と批判を続ける。

プーチンの主張は多くが一方的であり、自国にとって都合が良い解釈に満ちている。プーチンはウクライナの指導部が「神話を生み出し、歴史を書き換えています」と批判しているが、これらの点はブーメランとして、ロシアに跳ね返ってくるはずだ。
ただし、プーチン論文は難しい問題も突きつけている。これらの言い分が100%間違っていたり、捏造されているわけではないということだ。これまでも見てきた通り、2014年にロシアに軍事介入された後でも、ウクライナの一部はロシアへの親近感を捨て去れずにいた。この時点でもウクライナが複雑な国家であり続けた点は認めざるを得ない。

欧米への敵対心

プーチンはウクライナへの全面侵攻に踏み切るのに先立ち、米国が主導するNATOが冷戦後に加盟国を拡大し、ロシアに脅威をもたらしたと批判している。論文中の該当する箇所に触れてみよう。

「2014年よりも前から、米国や欧州連合(EU)の諸国はロシアとの経済関係を制限し、削減するよう執拗に、そして組織的に迫ってきました。一歩一歩、ウクライナは危険な地政学のゲームに引きずり込まれ、欧州とロシアの間のバリアとなり、ロシアに対抗していく立脚点の役割を負わされようとしてきたのです」

ウクライナの大部分の領土が「歴史的にロシアの地である」と考えるプーチンにとってみれば、ウクライナが欧州に加わろうとする流れを看過できなかった。このような動きはウクライナのイニシアチブではなく、欧米が進めてきた反ロシア政策の結果であると捉えたのだ。「西側諸国はウクライナ内政に直接干渉し、（２０１４年に親露派とみられたヤヌコビッチ政権が崩壊した）クーデターを支援しました」と断言している。一部の抗議運動の参加者が治安機関に対し、暴力的な手段で対抗していた。また欧米の政府高官や政治指導者が現地を訪れ、抗議運動を奨励していた。これらの点を踏まえれば、プーチンにとって、抗議運動は欧米諸国が支援した権力収奪の試み以外の何ものでもなかった。

欧米諸国の試みは、ウクライナの親欧米勢力による権力奪取にとどまらなかった。「西側の反ロシアプロジェクトの起草者はウクライナの政治制度を整えて、大統領や議会、閣僚が交代しても、ロシアから離反していき、ロシアに敵意を抱くような姿勢は変わらないようにしたのです」と、プーチンは説いている。

２０１４年のウクライナ大統領選で親欧米派のポロシェンコが当選し、次の選挙でゼレンスキーに交代したが、欧米に導かれた反ロシア政策が変わることはなかった。そうプーチンは考えていた。

すでにポロシェンコ時代の２０１９年に憲法が修正され、ＥＵとＮＡＴＯに加盟する方針が明記されていた。「歴史的にロシアの土地であるウクライナ」に踏み込んできた欧米は、ウクライナ政府だけではなく、軍までも影響下に収めようとした。プーチンはこのような恐怖も抱いていた。

これらのプーチンの思想は論文の冒頭に凝縮されている。

「近年、ロシアとウクライナの間に出現した壁は、お互いにとって多大な不幸であり、悲劇なのです」。このような事態を生み出した原因については、ソ連指導部が犯した「失敗の連続」を取り上げながらも、「常に我々の結束を崩そうとしてきた勢力による作為的な試みの結果でもあります」と糾弾している。プーチンからしてみれば、欧米こそがロシアとウクライナの絆を断ち切ろうとする元凶だった。

この論文を締めくくるにあたり、プーチンはウクライナの国民に対話を呼びかけている。「ロシアは最も複雑な問題を話し合う用意はできています」としながらも、難癖とも言えるような条件を押しつけている。「我々のパートナーが国益を守るのであり、誰かに仕えるのではなく、我々と戦おうとする誰かの道具にならないという点を理解すべきです」

直接的な表現こそ避けているが、ウクライナがＮＡＴＯの前線基地にされるような状況では対話に臨めないとの考えを鮮明にしていた。

そのうえでプーチンは強烈なブローをかませている。「ロシアとのパートナーシップを結ばなければ、ウクライナの真の主権は維持されないと確信を持っています」。ほとんど脅迫に近い形で論文を締めくくっていた。ゼレンスキー政権を相手にせず、ロシアとの歴史的なつながりを維持するように、ウクライナ国民に呼びかけたのだ。

離れていくウクライナ

ロシアが２０１４年からウクライナ東部に軍事介入してきたから、ウクライナがＮＡＴＯへ接近したのか。それともウクライナがＮＡＴＯへ接近していったから、ロシアがウクライナに介入せざるを得なくなったのか。

鶏と卵の関係を問うような点については、ウクライナ国内におけるＮＡＴＯ加盟への賛成と反対の流れを紹介してみよう。

世論調査機関レイティングの調査では、２０１４年3月上旬の時点で、43％がＮＡＴＯ加盟に反対し、34％の賛成を上回っていた。しかし、この月の半ばにロシアがクリミアを併合した衝撃は計り知れなかった。半年後の調査では賛成が43％となり、反対の31％を追い抜いた。以後の調査では常に賛成が反対を上回るのだが、その後の7年間では、賛成の回答が40％台から50％台前半を行き来していた。

ＮＡＴＯ加盟への賛成が初めて50％台後半に突入したのは、２０２１年7月になってからだ。ロシアはこの年の3月からウクライナとの国境付近に大規模な軍を動員し、圧力を強めていたことから、回答に反映される形になった。

そして2022年2月24日にロシアによる全面侵攻が始まると、NATO加盟への賛成は急増し、10月の調査では83%まで伸びている。この結果を見れば、ロシアの軍事的な動きに比例して、ウクライナ国内でNATO加盟に賛成する意見が増えていったことが明確に読み取れる。

プーチンは論文で「ウクライナが危険な地政学のゲームに引きずり込まれています」と警告してみせたが、ロシアの軍事的な動きこそが、ウクライナをNATOへと接近させてきた点は否定できない。あたかも磁石の同じ極のように、ロシアがウクライナを自国の勢力圏内に引き留めようと試みればみるほど、逆に欧米の勢力圏内に押し出すような結果を生み出したのだ。

ロシアの国益から考えれば、プーチン政権のウクライナ政策は悪手の連続だった。追えば追うほど、ウクライナは逃げようとしていた。

裏切られたロシア

プーチンが論文で取り上げた欧米とNATOへの姿勢は、陰謀論に近い見方で占められている。他方で次の点は留意しておくべきだ。日本を含めた西側諸国から見れば、極論と思えるが、こと対欧米や対NATOの文脈に関していえば、一定程度までロシア国民の感情を代弁しているのだ。

多くのロシア国民はソ連崩壊後の国際社会で自国が裏切られたと感じてきた。半世紀近く続いた冷戦が終わってから久しいが、その果実を共有できないことにいら立ちを覚えてきた。

独立国家となったロシアでは資本主義が導入されたが、すぐに裕福な生活をもたらしたわけではなかった。代わりに社会と経済の混乱が襲いかかり、人々は一部の者が富を独占する事態を目の当たりにした。桃源郷と思えた資本主義社会だったが、そこに足を踏み入れると、多くのロシア国民にとって無慈悲な競争社会が待ち構えていた。

ロシアは国際政治の世界でも屈辱を味わい続けた。冷戦時代の超大国の地位から滑り落ちると、米国やNATOはロシアの意向を尊重しないかのように振る舞った。

ユーゴスラビアの解体プロセスと混乱が続く中、NATOは1999年、ロシアと歴史的につながりの深いセルビアへの空爆を強行した。またNATOが旧共産主義の国にとどまらず、バルト3国など旧ソ連諸国も引き込んでいく事態を目の当たりにして、裏切られたとの思いを強めていった。

何よりもロシア国民の神経を逆なでしたのは、旧ソ連諸国で相次いで起きた「カラー革命」といえるだろう。2003年秋、ジョージア下院選後に発覚した不正開票疑惑を端緒にして、野党を中心とする政権への抗議運動が広がった。その結果、ソ連最後の外相も務めた大統領のエドワルド・シェワルナゼは退任に追い込まれた。
翌年に大統領に就いたミハイル・サーカシビリは筋金入りの親米派だったことから、ロシアは米国が政変に関与した匂いを嗅ぎ取った。

ロシアにとって、より大きな衝撃は2004年にウクライナで起きた「オレンジ革命」だったことはいうまでもない。大統領選の決選投票では、一度は親露派とされたヤヌコビッチの勝利が発表されたが、不正開票の疑惑が発覚し、抗議の波が国中に広がった。その結果、やり直し選挙では親欧米派とみられたユーシェンコが勝利した。
ウクライナ各地で大規模な抗議運動が展開された陰には、欧米諸国が市民団体を支援するなど、欧米が関与した痕を見て取った。[8]
翌2005年にはロシアの裏庭とされてきた中央アジアのキルギスでも抗議運動が広がり、大統領のアスカル・アカエフがロシアに亡命してくる事態に発展した。
旧ソ連諸国で起きた一連の政権交代は、ロシアの影響力をそぐような試みとして捉えられた。ロシアと関係の深い政権が次々と交代を余儀なくされた。そのためロシアでは「カラー革命」とは、民主化の名を借りた反ロシアの陰謀として受けとめられていく。

ロシアが募らせてきた西側諸国への負の感情は、プーチン政権のみならず、ロシア国民の一定数の間でも共有されてきた。そのためプーチン論文は国民の琴線に触れ、欧米に対する敵対感情をあおったのだ。

何がプーチンを怒らせたのか

この論文では、プーチンがゼレンスキーへの怒りをにじませている箇所がある。そのうちの一つはゼレンスキー政権が２０２１年５月に最高会議に提案し、翌月に採択された「ウクライナ固有の民族に関する法律」についてである。

この法律は、クリミアに住むクリミア・タタール、カライム、クリムチャクという３民族がウクライナ以外で国籍を持っていない点を取り上げ、「ウクライナの先住民族」という法的な地位を与えている。そのうえで国がこれらの民族に資金援助して、固有の言語や文化を継承したり、独自のマスメディアを運営したり、国際会議に参加したりする活動を手助けしていく内容となっている。(9)

一方でウクライナ国内に住むロシア人やポーランド人については、これらの民族のルーツが国外にあるとして、「少数民族」という地位にとどめていた。つまりウクライナ国内に住む同じ少数派の中でも、クリミアに住むタタール人など３民族を優遇した形になった。これがプーチンを怒らせたのだ。

論文中のプーチンは、今回の法律の採択により、ウクライナ国内で「新たな不和の種がまかれた」としたうえで、「もっとも卑劣なのはウクライナにおけるロシア人がそのルーツを否定されただけではなく、ロシアが敵国であると信じ込ませられようとしていることです」と糾弾している。

さらにプーチンはこの法律とNATOを結びつけようとしている。論文では、この法律が施行された時期に、NATOがウクライナ国内で演習していたと指摘し、二つの出来事が重なったことが「偶然ではない」と断定してみせた。

つまり欧米諸国がウクライナで反露キャンペーンを主導しているさなかに、ウクライナに住むロシア人のアイデンティティーを否定するような法律が施行されたとみなしたのだ。ウクライナやNATOにしてみれば、言いがかり以外の何ものでもないが、負の感情を高めていたプーチンは聞く耳を持たなかった。

親露派への圧力に反発

論文の別の箇所でも、プーチンはゼレンスキーを非難している。

「今の大統領は『和平を達成する』と選挙で約束してきました。ところが権力を手にすると、公約を嘘に変えてしまっています。ウクライナ国内とドンバス地方の周辺では何も変わらないどころか、むしろ状況が悪化しているのです」
ウクライナ東部の状況が改善されていないことについて、その責任を一方的にゼレンスキー政権に押しつけている。そのうえでプーチンはウクライナ国内で親露派武装勢力との和解を呼びかける政治勢力が「ロシアのエージェントだとレッテルを貼られています」とも非難している。この主張は何を意味しているのか。

2019年7月、ウクライナの最高会議選挙では、親露派の「野党連合」が第2党につけた。この政党の指導者の一人、ビクトル・メドベチュクは第2代大統領クチマの大統領府長官を務めた政治家だ。プーチンには自分の娘の名付け親となってもらい、ウクライナにおける「プーチンの右腕」とも呼ばれてきた。

三つのテレビ局を所有し、ロシア語の情報を報じてきた一方で、ポロシェンコ政権時代には、ロシアと意思疎通を図る際に、メドベチュクがメッセンジャーの役割を担ったといわれている。ウクライナ国内で「必要悪」とみなされた政治家だったといえる。

しかしゼレンスキー政権は、メドベチュクをウクライナ政界から排除する決断に踏み切った。まずは2021年2月にメドベチュクが関与していたロシア語のテレビ局の放送を禁じる。さらに治安機関は5月にメドベチュクを反逆罪などで告訴して、自宅軟禁に処したのだ。2019年の大統領選挙の時には、東部の紛争の収束を唱えていたゼレンスキーだが、この頃になると、ウクライナ国内の親露派勢力への圧力を強める方針を鮮明にしていた。
プーチンはこのような動きに怒りを覚え、論文でゼレンスキー批判を展開したと読み取るのが妥当だろう。

ウクライナ国内ではロシア人のルーツが否定されるだけでなく、親ロシアの政治勢力への弾圧も進行していた。２０２１年前半のプーチンはそのように確信して、次なる一歩を考え始めていたのではないだろうか。論文につづられたプーチンの怒り、憎しみの感情、恨み節を読んでいくと、そのように考察できる。

さらに２０２１年8月には、ウクライナ政府は「クリミア・プラットフォーム」と呼ぶ国際会議を催し、失地奪回に臨む姿勢をあらわにした。独立国家が力ずくで奪われた自国領の奪回を公の政策に掲げるのは何らやましいことではない。ただしクリミアを自国領と宣言したプーチンのロシアは、自国への挑戦と受け止めた。

またメドベチュクなどウクライナ国内の親露派を締め出したことは、プーチン政権の怒りの火に油を注いだだけではない。ウクライナがクレムリンの真意を探るための非公式のルートも潰す形になった[10]。

いずれにしろ２０２１年にゼレンスキー政権が取った行動の数々が、結果として全面侵攻への道を後押しした側面は否定できない。ゼレンスキーのウクライナも対立の道を選んでいたのだ。

冷徹さを失い

ことロシアの国益という観点に立てば、長い間、ロシア国内外でプーチンという指導者を評価する声は小さくなかった。ソ連崩壊後のロシア社会ではマフィアが跋扈し、政治と経済の世界でもオリガルヒが幅をきかせていたが、プーチンが大統領に就いた後のロシアは安定を取り戻し、経済もV字回復していく。何よりも国際社会におけるロシアの存在感と影響力を取り戻したことが大きかった。

ただし、その代償として、1990年代は曲がりなりにも機能していた民主主義を大きく後退させて、著しい人権の侵害も起きていた。1999年に始めた第2次チェチェン紛争では多くの犠牲者を出している。また隣国のウクライナでは、クリミアを一方的に併合することにより、国際的な規範を損ない、東部で戦争を始めたことにより、人的被害を出し続けた。

そのためプーチンに対しては肯定的な評価だけでなく、批判も根強かった。そして2022年2月24日を境にして、賛否が混在していたプーチンへの評価は否定的なもので占められていく。

15万ともいわれる兵力をウクライナとの国境付近に動員しながらも、ロシア軍の侵攻計画は稚拙だった。数日のうちに首都キーウを落とすはずだった作戦は失敗に終わり、1カ月後には首都近郊に配置していた軍が退却を強いられた。その後、主戦場にした東部ではルガンスク州を制圧したが、隣接するドネツク州で戦闘が終わっていない。

9月にはドネツク、ルガンスクに加え、南部のヘルソン、ザポロジエの各州で、形だけの住民投票を実施したうえで、一方的に自国に併合すると宣言した。しかし直後にドネツク州の要衝リマンを失ったほか、ヘルソンでも大規模な撤収を余儀なくされている。

2014年にプーチンがクリミアを奪い、ドンバスで戦争を始めた後も、欧米諸国は本格的な制裁に踏み切らなかった。この時の経験から、プーチンは二匹目のドジョウを狙ったとみられる。たとえウクライナに侵攻しても、西側は厳しい制裁を発動できないだろう。2022年2月の時点で、このように値踏みをしていた節が見受けられる。

しかし今回の欧米諸国はプーチン自身への制裁に踏み切ったほか、ロシアへの国際的な送金を厳しく規制するなど、次々と制裁を科していった。ロシア経済は表面上機能しているし、通貨ルーブルは暴落していない。しかしハイテク分野などを中心にして、積み上げられた制裁が確実に効いており、米財務省は2022年10月の段階で、ロシアが一部のミサイルを製造できなくなったと報告している[11]。

観念的な世界にとらわれ

なぜ冷徹とも思われてきたプーチンが無謀な賭けに出たのだろうか。明らかな計算違いを犯した背景には何があったのか。

ロシアがウクライナに全面侵攻を開始した直後には、プーチンが難病を患っており、冷静な判断を下せなくなったのではないかとの臆測も流れたが、英国の国防省幹部が7月には否定的な見方を示している(12)。

むしろ長期にわたり最高権力を握ってきた「プーチンの孤独」を指摘する声が小さくない。

「長い間、権力を握っていると、部下が忖度(そんたく)をしてしまい、都合の良い情報しか上げなくなってしまう。それはどこの国でも起きることなのです。プーチンもそうだったのではないかと思います。また自分が大統領に就いている間に、ウクライナを取り戻すことにより、功績を残したいと思ったのでしょう」

長年、対露交渉の最前線に立ち続けた日本のベテラン外交官の一人は、このように分析する。

特にここ数年のプーチンは、一人の世界にこもっていた節が見受けられる。新型コロナ感染症が急速に拡大したことを受け、2020年春以降は大統領府の側近、政府高官、閣僚とも対面の接触を避けるようになった。外遊も極端に少なくなり、プーチンは急速に外部の世界に触れなくなった。そう伝えられている。

ロシア西部のバルダイにある別荘にこもったプーチンと長い時間を過ごすようになったのは、銀行家のユーリ・コバルチュクだといわれた。ロシアのジャーナリスト、ミハイル・ジガールは米紙ニューヨーク・タイムズへの寄稿で、こう指摘している[13]。

コバルチュクは「ロシア正教会の神秘主義や反米の陰謀論、快楽主義を信じるイデオローグだった」という。「これがプーチン氏の世界観に反映されるようになった。大統領は完全に、経済、社会問題、コロナウイルスという現在起きている問題への関心をなくしていた。代わりにコバルチュク氏と共に過去に固執するようになっていた」と、ジガールは分析している。

ここでいう「過去」とは歴史の世界であり、帝政ロシアやソ連がウクライナを支配していた時代を指している。このような環境に置かれたプーチンが、歴史的につながりの深いウクライナを取り戻すべきだとの思いを強めたとしても不思議ではない。

かつては冷徹な指導者だったプーチンがより観念的な世界へ踏み込んでいった。そのような様子がうかがえるエピソードがある。

2022年2月上旬、フランス大統領のエマニュエル・マクロンがプーチンとの会談に臨んだ際に、両者を引き離した長大なテーブルが話題になった。ウクライナへの侵攻を思いとどまらせようとしたマクロンに対し、プーチンは長時間に及ぶ歴史のレクチャーを展開したという[14]。

かつてのプーチンは会談した相手を虜にする能力に長けているといわれた。ソ連国家保安委員会（ＫＧＢ）のリクルーターだった経験から、機敏に人心を読んでいたのだろう。しかし、そのような巧妙さは影を潜め、自分が信じる世界にどっぷりとつかっていた様子が浮かび上がってくる。


ウクライナへの全面侵攻に先立ち、プーチンが周囲の高官や側近とどの程度まで軍事作戦を共有していたのか定かではない。それでも2月21日に催された安全保障会議では、高官や側近がプーチンのご機嫌取りに走り、イエスマンと化している実態を露呈した。

これまで国家承認を避けてきた「ドネツク人民共和国」と「ルガンスク人民共和国」の扱いについて、ロシアは方針を転換するべきなのか。プーチンが一人一人の会議の出席者に問いただすと、高官や側近らは必死になって、プーチンが望むような回答を探そうとしていた。

印象的だったのは、対外情報庁（ＳＶＲ）長官のセルゲイ・ナルイシキンとのやり取りだ。ナルイシキンが望むような答えを返してこないと、プーチンはつるし上げるような態度をのぞかせた。

かつてナルイシキンは「プーチン側近の一人」ともいわれたが、この日の二人の間には明確な距離が見られた。観念的になったプーチンがロシア全体を引きずっていく姿が見てとれる会議だった。

残された支持を失い

ロシアがウクライナに全面侵攻を始めたことにより、ウクライナ国内の一部で残されていたロシアへの憧れや共感は著しく失われた。この点でもロシアにとって、ウクライナへの攻撃は悪手だった。

世論調査機関レイティングが発表した結果を通し、ウクライナ侵攻がどのように世論に影響を及ぼしたのかを見てみよう。

10年前の2012年3月、ウクライナ国内では53％がプーチンを肯定的に見ており、32％の否定的を上回っていた。ただし2年後に起きたクリミア併合により、プーチンへの評価は急落し、75％がプーチンを否定的に見るようになった。それまで多くのウクライナ国民が抱いていたプーチンへの幻想が急速に崩れ始めた。

その後もウクライナ国内ではプーチンへの否定的な見方が高止まりとなり、2022年1月では82％を占めていたが、全面侵攻後の4月には98％まで達した。

ウクライナへの全面侵攻の開始に伴い、演説に臨んだプーチンはウクライナ軍に虐げられている東部の人々を解放すると唱えたが、ドネツク州のマリウポリなどでは街を壊滅させるような攻撃が伝えられた。結果として、ウクライナ国内の一部に残されていたプーチン信仰はほぼ消滅したともいえる。

ウクライナのＮＡＴＯへの加盟の是非についても、２０１４年3月上旬の時点で反対43％、賛成34％だったが、全面侵攻後の２０２２年10月には賛成が83％（反対４％）まで伸びている。ＥＵへの加盟の是非を巡っては、賛成86％、反対３％となり、欧州寄りの姿勢がより顕著になっている。ロシアはウクライナを取り込もうとあの手この手を打ちながらも、むしろ自国から引き離してしまった。

２０２１年7月に発表した論文でプーチンは「ロシアとウクライナは同一の民族である」と訴えた。この時点でウクライナ国内の41％がこの見方に賛同していたが、侵攻後の翌年3月には21％に、翌月には８％まで下がっている。論文中のプーチンはウクライナ国民に共鳴するよう呼びかけたが、軍事侵攻は逆の結果を招いている。「同一民族」というキーワードを駆使して、プーチンはウクライナ国民を自国に引き寄せようとしたが、その試みも失敗した。

ロシア語を巡る問題でも支持失う

ウクライナへの全面侵攻に先立ち、プーチンがこだわっていたのはロシア語を巡る問題だった。前年の論文でもプーチンはロシア語について「我々を一つにつないでいるもの」と呼んでいた。ロシア語こそがロシアとウクライナをつなぐ接着剤であり、最大公約数のはずだった。

10年前の２０１２年にはウクライナ国民の42％が自分自身をロシア語話者とみなしていたが、ウクライナ全面侵攻後の２０２２年３月には20％まで半減していた。伝統的にロシア系住民が多い地域でも、この傾向は変わらない。まだ東部では49％がロシア語話者だと自認していたが、南部だと32％まで下がっている。

東部や南部で顕著になっているのは、ウクライナ語とロシア語を共に話せるバイリンガルが増えていることだ。東部では47％、南部では46％が両方の言語を話せると回答しており、この地域でもウクライナ語が浸透してきていることがわかる。この点からも、ロシア語の問題を取り上げることにより、ウクライナを自国へ引き込もうとするアプローチが磁力を失っていたことが読み取れる。

何よりも顕著になっているのは、ウクライナ国内でウクライナ語を唯一の公用語とみなす回答者が増えていることだ。２０１４年には47％に過ぎなかったが、２０２１年９月には65％にまで増え、全面侵攻された後の２０２２年３月には83％に達している。

このような見方は南部でも76％、東部でも63％を占めている。全土でロシアから攻撃を受けたことにより、ウクライナ語を唯一の公用語として受け入れる国民が急増した。

これまでもウクライナでは政治家が恣意的(しいてき)に言語を巡る施策を敷き、地域の対立を助長してきた側面がある。長い間、言語を巡る問題が国内を揺るがしていた。しかしロシアに全面侵攻された後の2022年3月になると、67%のウクライナ国民がウクライナ語話者とロシア語話者の間に問題はないとの認識を示すようになっている。南部でも75%、東部でも55%がこのような見方に同調している。

ウクライナ国内では時間をかけながら、言語を巡る対立が解消される方向に進んでいたうえに、ロシアによる全面侵攻がその傾向に拍車をかけたといえるだろう。


逆に現在のウクライナでは、ロシア語が半ば、敵性言語として扱われている。最高会議は2022年6月、ウクライナが独立した1991年以降にロシア人が作詞や作曲した音楽について、公共の場で流すことを原則禁じる法案を可決した。またロシアやベラルーシで出版された書物の輸入も禁じた[15]。

ウクライナ政府は、自国に残されていたロシア文化の影響力の排除に本格的に乗り出した。このような施策がウクライナ国内の団結にどのような影響を与えるのかは不明だ。また文化の領域にまで踏み込んでいき、ロシアに関係するものを排除することが適切と言えるのかは甚だ疑問である。

それでもロシアによる全面侵攻がこのような動きを後押しした点は否定のしようがない。ウクライナ国内に住むロシア語話者を守りたい。そのように訴えたプーチンだが、結果として、ロシア語話者からの支持や共感を減らしてしまった。策士が策に溺れた形だ。

清算されなかった遺産

なぜロシアはウクライナへの全面侵攻への道を歩んでいったのか。最後に取り上げるべきなのは、ソ連という帝国が解体した際に、整理されるべき問題が清算されずに今日に至っている点ではないだろうか。

帝国が形の上で滅んだ後でも、そのプロセスが進むことを押しとどめようとする勢力（ロシア）と完全に帝国から抜け出そうとする勢力（ウクライナ）が衝突した。今回の無慈悲な戦争について、帝国解体から派生した原因も見られる。ロシア史の世界的な権威である、英ケンブリッジ大トリニティー校名誉フェローのドミニク・リーベンはそう指摘する。

ソ連末期の1991年、ウクライナは喜びの中で独立を宣言した。12月1日、ウクライナ共和国の独立の是非を問う国民投票が実施されると、全土で9割の賛成票が投じられた。この時はクリミアでも、直轄都市のセバストポリで賛成票が50％台に達していたから、ほぼ全域が賛成したといえる。

なぜ、この時のウクライナ共和国の住民は圧倒的多数でソ連（ロシア）と決別する道を選んだのか。

「ゴルバチョフ大統領の最大の誤算は、ウクライナ（もしくはウクライナ指導部）の反連邦感情を正しく理解していなかったことにある。ソ連邦時代を通じ、ウクライナがいかに二級国の扱いを受けてきたか、ウクライナの人々はいかにロシア人に次ぐ二級市民の扱いを受けてきたか、差別を受けていた人たちの痛みへの理解がまったくなかった」

ソ連崩壊の現場を取材した毎日新聞の元モスクワ特派員の石郷岡建はこう指摘する。[16]

だが、これは表層の賛成に過ぎなかった。国民投票と並行して、ウクライナ共和国では大統領選のキャンペーンも繰り広げられていたが、当選した最高会議議長クラフチュクは、ウクライナの東と西で顔を使い分ける「狡猾な大統領選挙戦を展開した」と評されている。[17]

西部ではウクライナ独立を強調していたクラフチュクだが、東部ではロシアとの関係維持によるウクライナの独立を主張していた、と石郷岡は記録している。その背景には西半分ではポーランドなど東欧諸国の影響を受け、ウクライナ語を話す風土が残る一方で、東半分は帝政ロシアの支配下に置かれた歴史が長く、ソ連末期のウクライナ共和国には1100万人以上のロシア系が住んでいたという事実がある。

2000年代に入ると、西と東のいがみ合いが表面化し、ついに2014年にロシアの介入を許してしまう「ウクライナの二面性」は、すでに独立前から顕在化していた。

東西対立とソ連懐古

これまでも見てきたように東部の住民の多くは、視線を東の隣国に向けてきた。特に高齢者になると、過ぎし日のソ連という帝国を回顧する傾向が強かった。

ソ連崩壊を悔やんでいるのか。２０１０年12月、世論調査機関レイティングがウクライナ国民に尋ねたところ、46％が「悔やんでいる」と答え、「悔やんでいない」の36％を上回った。ただし２０１３年3月になると、「悔やんでいない」が44％となり、「悔やんでいる」の41％と逆転している。いずれにしろソ連崩壊から20年近くが過ぎながらも、国民の4割が在りし日の帝国を懐かしがっていたことになる。

東部では帝政時代やソ連時代にロシアから移住してきた住民の子孫が多く、ウクライナの独立後もロシア語が日常生活で圧倒的な存在感を誇ってきた。ここでもソ連の残滓は明らかに表層を漂っていたのだ。

２０１０年12月にはドンバス地方で65％、南部で58％、ドンバスを除く東部で55％が「ソ連崩壊を悔やむ」と回答した一方で、そのように答えた西部の住民は18％にとどまった。

この時点でソ連崩壊から19年の年月が過ぎていたが、独立国となったウクライナではオリガルヒが政財界を支配し、汚職がはびこり、国民生活は一向に良くならなかった。そのため多くの高齢者や東部・南部の人たちは、曲がりなりにも社会の平等さが担保されていた社会主義の時代を懐かしがっていた形だ。

このようなソ連への懐古とは、文化、言語、民族の面でのロシアとの結びつきを維持したいという思いの結晶でもあったと思えてならない。

独立後のウクライナが対露関係に細心の注意を払っている時代は、まだ東と西の対立が表面化しなかった。政府はウクライナ民族の定義を明確にせず、民族主義に由来する紛争を避ける道を選んでいた[18]。しかし2000年代の半ば以降、この国の指導者は意図的に民族や言語という領域に踏み込み、一部集団からの支持を得ようとするが、反動も招いていく。

2004年の「オレンジ革命」を経て、大統領に就いたユーシェンコは政権後半になると、第二次大戦中にソ連への抵抗運動を率いたバンデラの評価に着手するなど、ウクライナ民族主義に火をつけた。一方で2010年に当選したヤヌコビッチはロシア語を話す住民へのアピールに力を入れるなど、反動的な政策を進めようとした。

やがて帝国解体から派生した負の遺産が表面に現れ、ヤヌコビッチ政権への抗議運動と暴力的な衝突を呼んで、結果としてロシアがクリミアやドンバスへ介入していく隙を生んでしまった。

ただし指導者の「失政」だけが国内の対立を助長したわけではない。ウクライナ語とロシア語、「欧州への憧れ」と「ロシアとのつながり」、ウクライナ正教会とロシア正教会――。社会のあらゆる側面で二面性を持っていたウクライナにとってみれば、独立から10年以上が過ぎたころから、国としての行き方を定めなければならない局面を迎えていたといえるだろう。

このままウクライナ的なものとロシア的なものが共存し、混同した社会であり続けるのか。もしくはロシア的な要素をそぎ落とし、ウクライナ的な社会として純化していくのか。その流れの中でオレンジ革命が起こり、その反動としてヤヌコビッチ政権の親露的といえる政策が進められた。

誤解を恐れずに言えば、二つの路線の衝突はソ連崩壊後に残された遺産を整理するために、避けて通れないプロセスだったのかもしれない。

もう一点、独立後のウクライナが清算できていなかったのはロシア経済への依存である。形の上では政治的な独立を果たしたが、地下資源が乏しかったウクライナはロシア産の天然ガスの輸入に依存せざるを得なかった。

ソ連を構成していた15の共和国の経済は、互いを補完し合う側面が強かったことから、独立後もウクライナの工業製品の国際的な競争力は弱いままだった。オリガルヒによる政財界の支配が続いたことも、経済改革を妨げる形になった。ウクライナ経済はなかなか独り立ちができず、ソ連崩壊の遺産を整理し切れなかったのだ。

ウクライナ抜きでは存続できず

ウクライナを失ってはいけない。このような思いを抱いてきたのはプーチンだけではない。「ウクライナの独立は（ウクライナに住む）約1200万人のロシア人が別の国の市民になるのです[19]」

1991年12月のウクライナ共和国での住民投票を直前に控え、ゴルバチョフはウクライナがソ連から独立した場合の問題の深刻さを警告した。それまではウクライナを尊重しない態度を隠していなかったが、いざ独立に動き出すと、この共和国を抜きにして、ソ連を存続できないと訴えかけた。

ソ連から独立する機会を狙っていたロシア共和国大統領、エリツィンも似たような発言をしている。

「ウクライナとロシアには何千年もの歴史があり、ウクライナと関係を絶つ新連邦条約には調印できません。ウクライナには1000万人を超えるロシア人が住んでおり、彼らを見捨てる訳にはいかないのです[20]」

当時のエリツィンは、ウクライナ独立の動きをソ連解体に向けた弾みとして利用する思惑を持っていたとみられる。同時にベラルーシも含め、スラブ系で構成される三つの国家の絆も尊重して、自国を軸とした再編成を考えていたのだろう。

その後に第2代ロシア大統領に就いたプーチンは、2005年の年次教書演説で「ソ連崩壊は20世紀最大の地政学上の悲劇」と呼んでみせた。[21]「数千万の同胞と同国人がロシアの外に置かれたのです」とも続けている。つまりプーチンにとってみれば、ソ連という帝国の解体そのものよりも、ロシア人が自国の外に取り残された問題の方が深刻だったのだ。

この演説でプーチンは「我々にとって、海外に残されたロシアの同胞の権利を保障していくための国際的な支援は非常に重要です」とも話している。そのうえで「旧ソ連の地域内に誕生したNATOとEUの新規加盟国が少数派の権利も含め、人権に配慮していくことを期待したいのです」とくぎを刺した。前年の2004年には、バルト3国がNATOとEUにそれぞれ加盟していた。そのため、これらの旧ソ連諸国に残されたロシア系住民の権利を尊重するべきだと訴えたのだ。

この時のプーチンはウクライナに言及していなかったが、当然ながら、最大の隣国に残された同胞たちについて考えていたのだろう。明らかにプーチンは、急速に変化する旧ソ連諸国の情勢を警戒しながら、年次教書演説に臨んでいた。

ロシアも抱えた負の遺産

プーチンのロシアがウクライナを自国の勢力圏に残そうとした際に、経済的な動機が絡んでいた点にも触れなければならない。２０１２年の大統領への返り咲きに先立ち、プーチンは旧ソ連圏の経済統合の動きを本格化させていた。この先もＥＵと競合していくためには、旧ソ連諸国でも同じような枠組みが必要だと考えたのだ。

現在のユーラシア経済連合の前身となる「関税同盟」を立ち上げると、ウクライナをこの枠組みに引き込もうと試みた。ロシアにしてみれば、旧ソ連第2位の国の参加なくして、真の経済統合が図れないのは明白だった。

その後にウクライナで起きたことについては手短に触れるだけにしよう。

プーチンはユーラシア経済連合の枠組みに引き込もうとして、ウクライナがＥＵとの関係を深化させる動きに干渉した。一度は成功したかに見えたが、結果としてヤヌコビッチ政権への抗議運動が起こり、政権崩壊を招いてしまった。２０１４年のウクライナがロシアとの絆ではなく、欧州との統合を選んだことにより、ウクライナを旧ソ連諸国による経済統合に引き込む試みは失敗に終わった。

直後にプーチンが選んだのは、クリミアを奪い返し、ドンバスで争乱を起こすという力による解決方法だった。

その後もプーチンはウクライナに固執し続けた。外の世界から眺めると、クリミアやドンバスを自国に引き込んだ代償として、すでにウクライナという国全体を失っていたのは明白だった。だが、その現実を受け入れずに、ウクライナ全体を自国の勢力圏に引き戻そうとこだわり続け、ついには全面侵攻に踏み込んだのだ。

ソ連解体後の遺産を清算できていなかった点ではロシアも同じだった。

長い間、計算高く、冷徹な指導者とみられていたプーチンだが、ソ連崩壊から30年以上がたちながらも、失地となったウクライナの奪回にこだわり続けた。今となっては、彼こそが「ソ連崩壊の負の遺産」を清算し切れていない象徴となっている。

ソ連崩壊直後のロシアは社会と経済の混乱に見舞われたが、２０００年にプーチンが大統領に就任するころから、国際的な原油価格の高騰という追い風に吹かれた。２００８年にリーマン・ショックが全世界を襲うまで、ロシア経済は右肩上がりの成長を遂げ、安定も取り戻した。

新生ロシアは曲がりなりにも民主的な政体を取っていたことから、西側諸国の一員になることも期待された。１９９０年代後半に主要7カ国（G7）の枠組みに加えられ、主要8カ国（G8）へと発展した。結果としては幻想に過ぎなかったのだが、ロシアは西側陣営に融合するかのようにみえた。

ロシアが欧米諸国と異なる価値観を持っていたことは１９９０年代に露呈していた。それでも資源大国ロシアを国際経済の枠組みに組み込めば、たとえ欧米と政治的な対立を起こしても、全般的な関係を維持していけるのではないか。そのような期待も生じていた。西側諸国がロシアに関与していくことこそが、最善の解決策であるとみられてきた。

だが全面侵攻の開始から1年を迎える今、これらの観測が誤っていたことは明白だ。プーチンのロシアにとっては、西側の政治サロンの一員であり続けるよりも、また、国際経済の枠組みに組み込まれていることよりも重い問題が残されていた。

いわずもがなだが、それはソ連崩壊後に清算されていない問題を決着させることだった。そのためには独立後のロシアが積み上げてきた財産を投げ出すこともいとわなかった。それがプーチンの選んだ道だった。

「ロシアは国の未来のために蓄えてきた国力を、ソ連崩壊から続く帝国解体のプロセスを止めるために費やしてしまっています。この点では、過去を取り戻すために国の未来を先食いしてしまったといえるのです」。笹川平和財団主任研究員の畔蒜泰助はそう評している。

安保分野の負の遺産

ソ連崩壊後のロシアに残された「もう一つの負の遺産」はＮＡＴＯに包囲された安全保障環境だった。東西ドイツが１９９０年に再統合するのに先立ち、米国の国務長官ジェームズ・ベーカーがソ連大統領のミハイル・ゴルバチョフに対し、NATOを1インチたりとも東方に拡大しないと約束したとされる件は解釈が分かれている。

それでも以下の点は揺るぎようがない。ロシアは後に約束が破られたと捉えたし、1990年代後半以降の米国は欧州の新たな安全保障の基盤として、NATOの東方拡大をためらわなかった。結果として、チェコやポーランドという旧共産主義国にとどまらず、2000年代に入ると、ソ連を構成していたバルト3国も米国主導の軍事同盟に加盟を果たす。NATOはロシアの国境線に限りなく近づいてきた。

やがて、親欧米派が政権を担うウクライナとジョージアもNATO加盟への意欲をあらわにした。2008年8月に、ジョージアが自国内で独立を唱えてきた南オセチアとの戦闘に踏み切ると、逆にロシアの介入を招き、一部領土を失ってしまう。

これはプーチンのロシアが欧米諸国に投げかけた明白な警告だった。ジョージアとウクライナをNATOに加盟させようとするのならば、力ずくで介入し、徹底的に妨害していく。

プーチンの警告はNATOに届き、2014年にクリミアがロシアに併合された後でも、NATOはウクライナとジョージアを加盟させようとする一線を越えなかった。一方で2014年以降の米国はウクライナへの軍事支援を手厚くし、NATOもウクライナとの軍事演習を重ねてきたから、ロシアは双方の接近に危機感を強めていた。NATOは東へと拡大の一途をたどり、1991年のソ連崩壊時には16カ国だった加盟国は、30カ国とほぼ倍増している。

これがプーチンのロシアが２０２１年秋にウクライナ国境付近に大量の軍を配備させたころの安全保障環境だった。

ソ連崩壊後のロシアが一度は国際的な影響力を失ったからこそ、ＮＡＴＯの東方拡大を許してしまった。その手はウクライナにまで伸びているのかもしれない。この負の遺産を清算しようとプーチンが考えていたことには疑いの余地がない。

席を立ったロシア

２０２１年の年末にロシアが米国やＮＡＴＯに突きつけた要求は次の点だった。

ＮＡＴＯの部隊や兵器の配備については、「ＮＡＴＯロシア基本文書」が結ばれた１９９７年５月の時点に戻すべきだ。米国とロシアの間では中距離ミサイル（ＩＮＦ）全廃条約が破棄されていたから、お互いの領土やＮＡＴＯ加盟国にも中距離ミサイルの配備を禁じることを求めた。またウクライナを含め、ＮＡＴＯが東方拡大をやめるようにも訴えた。

米国とＮＡＴＯは２０２２年１月から協議に応じたが、すでに配備していた部隊や兵器の撤収については「ゼロ回答」だった。現実的に考え、米国やＮＡＴＯが応じられる訳がない。ＮＡＴＯの東方拡大の停止については確約こそしなかったが、バイデンは柔軟に検討する立場をにじませるようになっていた。そして中距離ミサイルの配備禁止に関しては、米国が話し合いに応じると明答していた。

ロシアが求めてきた土俵に米国は上がる構えは見せたのだが、プーチン政権は土俵に上がらずに席を立ってしまう。ロシアは2月17日、NATOが東方拡大の停止に応じなければ、「軍事技術措置」を取ると警告した。年初から続いた欧米との安全保障を巡る話し合いにピリオドを打ち、1週間後にウクライナへの全面侵攻を始めた。

今となると、プーチンの本音がどこにあったのかを明確に読み取るのは難しい。2021年秋のロシアは欧州の安全保障環境を変えさせようとして、ウクライナ国境付近に大量の部隊を動員し、欧米を話し合いの席に着かせていた。そこで米国も一部議題について話し合う姿勢をみせたのだが、その話し合いに幕を閉じたのはロシア自身だった。

結局のところ、2022年2月のプーチンにとって、安全保障環境を改善することよりも、ウクライナを取り戻そうとすることの方が大きかった。もしくはウクライナを取り戻しさえすれば、欧州の安全保障の課題を解決できると考えたのだろうか。そうだとしたら、西側諸国が予測し切れなかったのは、このプーチンの思考だったといえる。

真の帝国解体を迎え

2022年12月、在りし日の帝国、ソ連が誕生してから100年を迎えた。ただし、この年は一度分裂した旧共和国が結束を固めるのではなく、逆にソ連崩壊を印象づける出来事が相次いだ。

ソ連崩壊後にもっとも激しく戦火を交えてきた元共和国はアルメニアとアゼルバイジャンである。長くナゴルノカラバフの領有権を巡って争ってきた両国は9月に戦闘を再発させて、2００人を超す犠牲者を出した。２年前にも５０００人以上の死者を出していた両国の紛争は、歯止めがきかなくなっている。

当時はロシアが調停役となり、ナゴルノカラバフに平和維持軍を送り、両国の戦いを止めさせていた。だが2月にウクライナ侵攻を始めたロシアはアルメニアやナゴルノカラバフに駐留させていた一部兵力をウクライナに回したと伝えられており、(22)結果として戦闘の再発を防げなくなっている。

業を煮やしたのは伝統的な親露国であるアルメニアだ。首相のニコル・パシニャンはロシアが主体となる軍事同盟「集団安全保障条約機構」が自国の安全を保障していないとして、ロシアへの不満を隠さなくなっている。

同じような問題はキルギスとタジキスタンの国境紛争でも見られた。ロシアはキルギスとタジキスタンに駐留していた一部兵力も引き上げ、ウクライナ戦線に投入したと報じられている。(23)ロシアは紛争を防ぐ「重し」の役割を果たせなくなったのか。両国の衝突が再発し、２００人近くの死者を出している。

ロシアはカザフスタンとのあつれきも明らかになっている。

6月にサンクトペテルブルクで開かれた経済フォーラムで、カザフスタン大統領ジョマルト・トカエフは、「ドネツク人民共和国」と「ルガンスク人民共和国」を国家承認しないと明言した。

この場に居合わせたプーチンは顔に泥を塗られたと受け止めたのか。この後、ロシアとカザフスタンの関係は目に見えて悪くなっていく。カザフスタンがロシアを経由して輸出していた石油パイプラインが「技術的な原因」を理由にして、何度も遮断された。また旧ソ連諸国が集まる国際会議の場でも、ロシアとカザフスタンの距離が見て取れるようになっている。

2014年にロシアがウクライナに軍事介入を始めた後、旧ソ連諸国で最も信頼できるパートナーになったのはカザフスタンだといえる。ユーラシア経済連合を立ち上げた際にも、カザフスタンがロシアの隣で支えてくれた。ウクライナ侵攻をめぐるあつれきから、そのパートナーがロシアから明確な距離を取り始めているのだ。

2022年のロシアが完全に失った旧ソ連の国がウクライナであることは疑問の余地がない。独立後のウクライナは長い間、東と西が対立を続け、国としてのまとまりを欠いてきた。しかし2022年2月に全面侵攻を受けたことにより、ロシアに対抗するために団結を強めている。「ウクライナという国家は存在しなかった」と唱えてきたプーチンだが、全面侵攻という「悪手」を打ったことにより、逆に真のウクライナ国家の誕生を手助けする格好になっている。

この先の予見し得る将来において、ロシアはウクライナを勢力圏にとどめられるのだろうか。日々伝えられる悲惨な戦闘の実態を考えると、広い範囲でウクライナの人心を掌握できるシナリオは考えにくい。ロシアの元から限りなくウクライナが遠ざかり、在りし日のソ連という帝国の命運は完全に絶たれようとしている。それが100年の記念すべき年を迎えた実態なのだ。

戦闘の行方は

この戦争はどこに向かい、果たして収束する見通しはあるのだろうか。

もはやロシアが地上戦でウクライナを圧倒し、支配地域を広げられる公算はほとんどない模様だ。2月には電撃的にウクライナへの全面侵攻を始めたロシアだが、首都キーウの占領を狙った作戦に失敗し、精鋭部隊を失った影響を引きずってきた。また一連の戦闘では、陸海空の3軍が統合した戦いは見られず、十分に援護を受けていない地上軍が戦うという「20世紀型の戦争」を繰り返している。この先に状況を打開できる起爆剤も見つかっていない。

一方で欧米から支援を受けたウクライナ軍は圧倒的に不利だという予想を覆して、善戦を続け、秋以降は占領された地域の奪還を続けている。しかし米軍の制服組トップ、統合参謀本部議長のマーク・ミリーが指摘するように、ウクライナが国土の全てを独力で取り戻す可能性も限りなく小さい。

双方に圧倒的な勝利を収める可能性がほぼ消滅する一方で、事態が収束する気配も見えてこない。ウクライナ軍により虐殺されてきたドンバス地方の住民を救うための戦い。ロシアとウクライナの歴史的なつながりを取り戻すための戦い。このような大義を掲げたプーチンのロシアとしては、振り上げた拳の下ろし方が非常に難しくなっている。

これはウクライナについても似たようなことがいえる。2月に全面侵攻を受けた直後のウクライナは将来的にNATOに加盟する可能性を断念し、ロシアが納得する形での「中立化」を検討していく姿勢をにじませていた。しかしロシア軍に占拠されていたキーウ近郊で多くの住民が虐殺された疑惑が発覚すると、ゼレンスキー政権はこれらの点で歩み寄ろうとする方針を取り下げた。

ウクライナの長くて寒い冬が続く中、ロシアによる全面侵攻の開始から2年目に入っても、戦争が続いていきそうな気配が濃厚だ。

マイオルスク村の今は

ロシアのウクライナ侵攻が続く2022年11月半ばのことだった。わずか1カ月半前にロシアが併合を宣言したウクライナ南部ヘルソン州の州都ヘルソンは、ウクライナ軍が奪還に成功した。

流れてくる映像を見ると、ヘルソン市内では青と黄色のウクライナ旗が掲げられ、市民は進軍してきたウクライナ軍兵士に抱きつき、涙を流し、喜びに浸っていた。多くの住民がロシアの支配を受け入れずに、あらがってきた証左といえる。


歓喜に浸る報道に接する中で、私はあるニュースに気がついた。同じ時期に、ロシア軍がドネツク州中部にあるマイオルスク村を占拠したという。ヘルソン州で劣勢を続けるロシア軍だが、別の戦線では激しい戦いを続けているのだ。


読者の皆さんは、マイオルスク村を覚えているだろうか。本書の冒頭で紹介して、ロシア軍と親露派武装勢力から攻撃される最前線となってきた村である。連日のように砲撃や銃撃にさらされながらも、私が会ったマイオルスク村の住民たちは最後までロシアや親露派武装勢力を悪く言わなかった。

自国の政治家は罵倒するが、毎日のように自分たちの村を攻撃してくるロシアや親露派を批判することを避けている。このような奇妙な情景が見られた村である。そこでは、あたかもプーチンが推奨するルースキーミール（ロシアの世界）が深く浸透していたかのようだった。

そのマイオルスク村がロシアの手に落ちたという。私はいてもいられなくなり、この村で唯一、連絡先を把握していたミハイル・サモロドスキーにメールを送ってみた。私が取材した際に「ウクライナ兵こそが毎日、我々に向けて砲撃や銃撃を仕掛けてきている」と説いていた人物である。

「親愛なるミハイル。私は2019年夏に最高会議選挙を取材するために、あなたの村を訪れた日本のジャーナリストです。数日前にロシア軍があなたの村を占拠したというニュースに接し、あなたとご家族が無事であるのかを心配しています。もう村からは避難されたのですか？もし、そうだとしたら、多くのものを置いていかざるを得なかったのですか？　このつらい時期にあなたとご家族が無事でいられることを祈るのみです」

だが数カ月が過ぎた今も、サモロドスキーから返信は届いていない。彼はすでにマイオルスク村から避難していたのだろうか。そうであるのならば、かつて批判していたウクライナの政府や軍について、どのような気持ちを抱いているのだろうか。

もしくはロシアが自国に全面侵攻してきた事態を目の当たりにして、対露感情は変わったのだろうか。それとも、どんなにロシア軍から攻撃を受けても、親露感情は変わらないままなのだろうか。まだ彼の心はソ連時代をさまよい続けているのか。

雲一つない快晴に恵まれていたマイオルスク村の光景を思い出す度に、次のような思いを強くする。

「2019年のウクライナ」は帝政ロシアやソ連時代という過去に束縛されていた。そして4年後の今にもつながっており、ウクライナの苦しみは続いている。すでにウクライナとロシアの絆は切れかけているが、まだウクライナ東部や南部に行けば、別のマイオルスク村が残されているかもしれない。そうであるのならば、この先もその苦しみと矛盾が続いていくのだろう。

あとがき

２０１９年３月、ウクライナの現状を切り取ろうとする旅に出てから10日目。私は東部の港湾都市マリウポリから車に乗り込み、ひたすら西へと向かっていた。

南部のヘルソン州でウクライナ一の大河ドニエプル川に差し掛かるころだった。突然、視界に入ってきたダムは、ごうごうと音を立てながら、川水を放流していた。急いで手元の携帯電話を取り出し、撮影した後も、この光景がなかなか頭から離れない。少しばかり自問してから、答えになっていないような解答を探し当てた気がした。

「これがソ連という国だったのかな」

妙な感慨に浸っていた。

だが２０２２年の秋、ロシア軍はこのダムを占拠しただけでなく、爆破して下流の一帯を浸水させるのではないかとの臆測が流れた。そうなのだ。この戦争はウクライナの隅々まで壊そうとしており、いつ終わるのかも見えずに続いているのだ。

ロシアによるウクライナへの全面侵攻が始まると、私は外信部デスクとして、日々の編集作業に没頭した。ようやく周りを見回す余裕も出始めたころ、毎日新聞出版の八木志朗さんに、２０１９年に書いたルポをまとめられないかと相談する機会に恵まれた。

「大前さんの視点を前面に出したルポルタージュにすると、いいのではないでしょうか。ウクライナ侵攻の元になる出来事があり、それらが積み重なって今があることがわかれば、とても意義のある本になる気がします」

八木さんから、このようなお返事を頂いたことが拙著の指針になり、執筆を進められた。この場を借りて、御礼を申し上げたい。

モスクワ支局のオクサナ・ラズモフスカヤ、ドンバス地方の助手、他のウクライナの関係者にも感謝の思いを伝えたい。これまで多くの助言をもらってきた外信部の先輩や往時のデスクにも謝意を申し上げる。2019年当時のモスクワに駐在していた外交官や識者、他社の記者の方々とは夜な夜な議論して、多くを学ばせてもらった。

なによりも最初のモスクワ勤務に同行し、日本とロシアを行き来する生活を支えてくれた妻の祝子、長男の武、猫のトムには感謝してもしきれない。本当にありがとう。

家族の理解を得て、3回目のモスクワ勤務を始めていることに触れて、筆をおきたい。

2023年1月

大前　仁

注

第1章

（1）Politico, Zelensky wants to replace Ukraine's top spy after security failures, June 23, 2022, https://www.politico.com/news/2022/06/23/zelensky-top-spy-security-failures-00041794

第2章

（1）下斗米伸夫『プーチン戦争の論理』、集英社インターナショナル、二〇二二年、一二一－一二三頁
（2）黒川祐次『物語　ウクライナの歴史　ヨーロッパ最後の大国』、中央公論新社、二〇〇二年、二四〇頁
（3）真野森作『ルポ　プーチンの戦争　「皇帝」はなぜウクライナを狙ったのか』、筑摩書房、二〇一八年、二七二－二七五頁
（4）服部倫卓・原田義也編著『ウクライナを知るための65章』明石書店、二〇一八年、一〇〇－一〇四頁
（5）黒川、前掲書、第七章　ソ連の時代
（6）ウクライナ国勢調査、https://2001.ukrcensus.gov.ua/eng/
（7）レイティング、https://ratinggroup.ua/files/ratinggroup/reg_files/rg_ua_1000_ua_032022_mova_press.pdf P4
（8）松里公孝「未完の国民、コンテスタブルな国家」「世界」臨時増刊　ウクライナ侵略戦争　世界秩序の危機、岩波書店、二〇二二年、四九頁
（9）真野、前掲書、二三三－二三六頁

第3章

（1）Maidan of Foreign Affairs, August 29, 2018, Russian Federation Blockade of the Mariupol and

Berdyansk Ports: trends and statistics, https://www.mfaua.org/en/projects/russian-federation-blockade-of-the-mariupol-and-berdyansk-ports-trends-and-statistics
（2）石郷岡建『ルポ　ロシア最前線』、三一書房、一九九五年、一六三頁
（3）真野、前掲書、三八二―三八四頁

第4章
（1）首相官邸、https://kantei.go.jp/jp/100_kishida/statement/2021/1008shoshinhyomei.html

第5章
（1）黒川、前掲書、一六二―一六四頁
（2）服部、前掲書、一七八頁
（3）https://en.wikipedia.org/wiki/Donetsk
（4）国際連合、https://peacemaker.un.org/sites/peacemaker.un.org/files/UA_150212_MinskAgreement_en.pdf
（5）ロシア語のバイオグラフィー　https://tass.ru/encyclopedia/person/pushilin-denis-vladimirovich
（6）真野、前掲書、三一六―三三二頁

第6章
（1）毎日新聞、二〇一六年八月二一日
（2）真野、前掲書、三三〇頁
（3）真野、前掲書、二六八頁
（4）Thomas L. Friedman, The Lexus And The Olive Tree, Anchor Books, 2000, Chapter 12

第7章

（1）AP, Israeli ambassador bemoans glorification of Ukrainian leader, December 15, 2018, https://apnews.com/article/54d18b10911a46b0b9b38b129d51a5bd

（2）Euronews, In Ukraine, Stepan Bandera's legacy becomes a political football... again, March 26, 2021, https://www.euronews.com/my-europe/2021/03/19/in-ukraine-stepan-bandera-s-legacy-becomes-a-political-football-again

（3）Euromaidan Press, https://euromaidanpress.com/2019/02/27/what-ukrainians-think-about-euromaidan-five-years-on-survey/

第9章

（1）https://en.wikipedia.org/wiki/Kramatorsk

第10章

（1）Arms Control Association, https://www.armscontrol.org/node/3289

（2）服部、前掲書、二七二頁

（3）国際連合、https://treaties.un.org/doc/Publication/UNTS/Volume%203007/Part/volume-3007-I-52241.pdf

（4）レオニード・シュマン、筆者とのインタビュー、二〇一九年

（5）ロシア大統領府、https://www.kremlin.ru/events/president/news/67843

（6）ウクライナ大統領府、https://www.president.gov.ua/en/news/ukrayina-iniciyuye-provedennya-korsultacij-u-mezhah-budapesh-73001

第11章

（1）角茂樹『ウクライナ侵攻とロシア正教会』、河出書房新社、二〇二三年、一〇六頁

（2）角、前掲書、一三九頁

（3）平野高志『ウクライナ・ファンブック』、合同会社パブリブ、二〇二〇年、一五四頁

（4）Radio Free Europe, Russian Church Leader Defends Moscow's Bombing Campaign In Syria, January 07, 2016, https://www.rferl.org/a/russia-church-leader-defends-syria-war/27473825.html

（5）モスクワ総主教庁、https://www.patriarchia.ru/db/print/928446.html

（6）モスクワ総主教庁、https://www.patriarchia.ru/en/db/text/5904398.html

（7）RASKOLAM.NET, May 27, 2022, https://raskolam.net/en/53255-postanova-soboru-ukrainskoi-pravoslavnoi-cerkvi-vid-27-travnya-2022-roku

（8）Radio Free Europe, Russian Patriarch Kirill Says He Understands Ukrainian Branch's Decision To Break, May 29, 2022, https://www.rferl.org/a/31873751.html

最終章

（1）英王立防衛安全保障研究所、https://rusi.org/explore-our-research/publications/special-resources/preliminary-lessons-conventional-warfighting-russias-invasion-ukraine-february-july-2022

（2）The Times. Inside Putin's bunker: how he kept the plan to invade Ukraine secret, November 3, 2022, https://www.thetimes.co.uk/article/how-putin-kept-the-plan-to-invade-ukraine-a-secret-nlw087729

（3）フランス大統領府、https://www.elysee.fr/en/emmanuel-macron/2022/01/26/declaration-of-the-advisors-to-the-n4-heads-of-states-and-governments

（4）Tass, Normandy format talks in Berlin end without results, Kremlin official says, February 11, 2022, https://tass.com/politics/1401333

（5）Kommersant, February 22, 2022
（6）合六強「長期化するウクライナ危機と米欧の対応」「国際安全保障」、二〇二〇年一二月
（7）ロシア大統領府、https://en.kremlin.ru/events/president/news/66181
（8）服部、前掲書、二八五頁
（9）Library of Congress, https://www.loc.gov/item/global-legal-monitor/2021-08-02/ukraine-new-law-determines-legal-status-of-indigenous-people
（10）藤森信吉、朝日新聞デジタル、二〇二三年二月二五日、https://digital.asahi.com/articles/DA3S15215090.html
（11）US Treasury Department, Impact of Sanctions and Export Control on Russia's Military-Industrial Complex, October 14, 2022
（12）The Telegraph, Admiral Sir Tony Radakin: Hoping Putin is unwell or may be assassinated is 'wishful thinking', July 17, 2022, https://www.telegraph.co.uk/world-news/2022/07/17/admiral-sir-tony-radakin-hoping-putin-unwell-may-assassinated/
（13）Mikhail Zygar, New York Times, How Vladimir Putin Lost Interest in the Present, March 10, 2022, https://www.nytimes.com/2022/03/10/opinion/putin-russia-ukraine.html
（14）Reuters, In Moscow, Macron found a different, tougher Putin, February10, 2022, https://www.reuters.com/world/europe/moscow-macron-found-different-tougher-putin-2022-02-10/
（15）Jurist, June 20,2022, https://www.jurist.org/news/2022/06/ukraine-parliament-bans-importaticn-of-russian-books-and-music/
（16）石郷岡建『ソ連崩壊１９９１』、書苑新社、一九九八年、四一六頁
（17）石郷岡、前掲書、四一〇頁
（18）服部、前掲書、二七三頁

(19) 石郷岡、前掲書、四一二頁

(20) 石郷岡、前掲書、四一七頁

(21) ロシア大統領府、https://www.kremlin.ru/events/president/news/33220

(22) Institute for the Study of War, Russian Offensive Campaign Assessment September 13, https://www.understandingwar.org/backgrounder/russian-offensive-campaign-assessment-september-13

(23) Radio Free Europe, Investigation Shows Contractors At Russian Base In Kyrgyzstan 'Dispatched To Ukraine', September 13, 2022, https://www.rferl.org/a/russia-kyrgyzstan-base-troops-redeployed/32031647.html

【著者紹介】
大前　仁（おおまえ・ひとし）
1969年東京生まれ。明治大学卒業、ジョージ・ワシントン大学大学院修了。1996年より日本経済新聞アメリカ社に在籍し、ワシントン支局でアメリカ外交や内政を担当。2003年に毎日新聞社に入社。2008～13年、2018～20年に続き、23年1月から3回目のモスクワ支局勤務中。旧ソ連諸国の情勢や日露関係を取材する。著書に『ボリショイ卒業　バレエダンサー岩田守弘　終わりなき夢の旅路』（東洋書店新社）がある。

ウクライナ侵攻までの3000日
モスクワ特派員が見たロシア

印　刷　2023年2月1日
発　行　2023年2月15日

著　者　大前　仁
発行人　小島明日奈
発行所　毎日新聞出版
〒102-0074　東京都千代田区九段南1-6-17　千代田会館5階
営業本部：03（6265）6941
図書第二編集部：03（6265）6746

印刷・製本　光邦

ISBN978-4-620-32767-9